# 실력 진단 평가 1

| 제한 시간 | 맞힌 개수 | 선생님 확인 |
| --- | --- | --- |
| 15분 | / 15 | |

**01 ~ 04 다음 낱말에 알맞은 뜻풀이를 찾아 선으로 이으세요.**

| | | |
| --- | --- | --- |
| 1 | 견해 • | • ㉠ 높여 소중히 여김. |
| 2 | 관찰 • | • ㉡ 여럿이 모여 의논함. 또는 그런 모임. |
| 3 | 숭상 • | • ㉢ 사물이나 현상을 바라보는 생각이나 입장. |
| 4 | 회의 • | • ㉣ 사물이나 현상을 주의하여 자세히 살펴봄. |

**05 ~ 07 다음 낱말의 뜻풀이에 알맞은 말을 보기에서 찾아 쓰세요.**

보기

결심　선택　의견　일치

**11 ~ 13 다음 밑줄 친 낱말과 바꾸어 쓸 수 있는 낱말을 찾아 선으로 이으세요.**

| | | |
| --- | --- | --- |
| 11 | 많은 꽃들은 아름다운 속성을 가졌다. • | • ㉠ 과정 |
| 12 | 처음 수영을 배울 때는 기초 단계부터 시작한다. • | • ㉡ 대상 |
| 13 | 잡아야 할 목표물인 야구공을 잡기 위하여 마구 뛰었다. • | • ㉢ 특징 |

**14 다음을 보고 밑줄 친 관용어의 뜻풀이로 알맞은 것의 기호를 쓰세요.**

한문 공부를 열심히 하겠다는 뜻을 세웠다.

**5** 맞추다 : 정해진 기준과 [ ][ ]하게 하다.

**6** 세우다 : 계획, [ ][ ], 자신감 등이 마음속에 이루어지게 하다.

**7** 정하다 : 여럿 가운데 [ ][ ]하거나 판단하여 결정하다.

**08 ~ 10 다음 빈칸에 들어갈 알맞은 낱말을 보기에서 찾아 쓰세요.**

가벼워서　걸어가서　쉬어서　틀려서

**8** 숙제를 끝냈더니 마음이 (　　　　) 날아갈 것 같았다.

**9** 공휴일이 긴 덕분에 오래 (　　　　) 피곤이 많이 풀렸다.

**10** 받아쓰기를 많이 (　　　　) 국어 공부를 열심히 해야겠다고 생각하였다.

㉠ 남의 뜻을 이어받아서 그대로 따라 하다.
㉡ 앞으로 닥쳐올 날의 목표를 마음에 품고 결심하다.

**15 다음 중 속담 '고양이 쥐 생각'의 상황으로 알맞은 것의 기호를 쓰세요.**

㉠ 동생과 사이좋게 지내고 잘 돌보는 유진.
㉡ 친구와 싸운 동생의 마음을 달래 주는 형민.
㉢ 동생에게 공책을 선물하고는 자신이 쓴다며 가져온 재현.

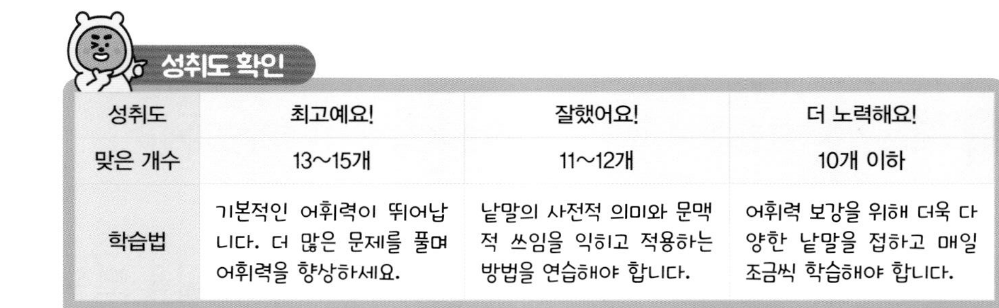

성취도 확인

| 성취도 | 최고예요! | 잘했어요! | 더 노력해요! |
| --- | --- | --- | --- |
| 맞은 개수 | 13~15개 | 11~12개 | 10개 이하 |
| 학습법 | 기본적인 어휘력이 뛰어납니다. 더 많은 문제를 풀며 어휘력을 향상하세요. | 낱말의 사전적 의미와 문맥적 쓰임을 익히고 적용하는 방법을 연습해야 합니다. | 어휘력 보강을 위해 더욱 다양한 낱말을 접하고 매일 조금씩 학습해야 합니다. |

정답은 정답과 해설 40쪽에 있습니다.

어휘력 향상에 꼭 필요한 필수 낱말 총정리

초등 국어

# 일등급 어휘력

## 이 책을 추천합니다.

▸▸ 평소에 아이가 책을 많이 접하고 자주 읽게 하려고 노력하는 편인데, 다양한 책을 읽다 보면 당연히 알고 있을 것이라고 생각했던 쉬운 어휘를 모르는 경우가 종종 있었습니다. 그래서 어휘 공부의 필요성을 느끼고 있다가 추천 받은 이 책에서는 한자어, 고유어, 다의어, 동음이의어 등 다양한 기초 낱말과 한자 성어, 속담, 관용어 같은 어려운 내용까지 함께 배울 수 있어서 좋았습니다.
여러 가지 어휘를 모두 다루고 있어서 생각보다 많은 어휘가 들어 있지만, 그림도 있고 짤막한 예문과 문제로 이루어져서 아이가 지루하지 않게 공부할 수 있었습니다. 풍부한 어휘력을 기초부터 다져 나갈 수 있는 좋은 책이라고 생각합니다.

– 이미정 (안산초등학교 3학년 학부모)

▸▸ 지금까지 따로 국어 어휘 공부를 시켜 본 적은 없었는데, 아이가 초등학교 고학년이 되면서 긴 글을 읽을 때 독해력이 조금은 부족한 것 같았습니다. 어휘력이 먼저 기본이 되어야 독해력도 올라갈 것이라는 생각에 이 책으로 어휘 공부를 시작했는데, 어휘를 효과적으로 익힐 수 있어서 이 책을 시작하길 잘했다는 생각이 듭니다.
한 회가 3회로 나누어져 있어서 세부 계획을 세워 매일매일 공부하기에 좋았고, 어휘를 공부한 뒤 제대로 학습했는지를 다시 체크하는 체크 박스도 유용하게 활용하였습니다. 먼저 어휘를 익히고 확인 학습을 푼 다음에 부록의 어휘력 테스트까지 3단계로 공부하니, 아이에게 자연스럽게 반복 학습이 되는 점이 가장 좋았습니다.

– 황이숙 (고은초등학교 6학년 학부모)

▸▸ 탄탄한 어휘력은 독해의 기본입니다. 길고 어려운 글을 독해할 때 우리는 어휘를 중심으로 내용을 유추하며 맥락을 파악합니다. 그러나 탄탄한 어휘력을 쌓는 일은 단시간에 문제를 많이 푼다고 이루어지는 것이 아닙니다. 평소에 좋은 글을 많이 접하고, 어휘가 문장 안에서 어떤 의미로 사용되고 있는지, 이를 대체할 낱말들에는 무엇이 있는지를 곰곰이 생각해 보는 연습이 필요합니다.
물론 처음 시작은 어려울 수 있습니다. 하지만 교과서에서 선별한 다양한 어휘가 실린 이 책으로 초등학생 때부터 낱말의 뜻을 스스로 생각해 보는 꾸준한 연습을 통해 어휘의 기본기를 다진다면, 앞으로의 국어 공부에 큰 도움이 될 것이라고 생각합니다.

– 신주용 (서울대 자유전공학부 19학번)

▸▸ 제가 공부를 하며 깨달았던 것은 모든 학습은 결국 기초를 다지는 것부터 시작한다는 점입니다. 수능 국어 지문들은 점점 더 복합적이고 난해하게 변화하고 있으며, 이를 이해하기 위한 독해력은 하루 이틀 공부한다고 생겨나는 것이 아닙니다. 단순히 책을 많이 읽는 것이 아니라, 가능한 이른 시기부터 체계적으로 준비해야 합니다.
즉 초등학생 때부터 어휘를 알고, 문장을 이해하고, 문단과 구조를 파악하는 연습이 꾸준히 이루어져야 합니다. 기초부터 다진 풍부한 어휘력에서 오는 자신감은 국어뿐만 아니라 다른 과목의 학습에 있어서도 큰 도움이 되리라고 생각합니다. 다양한 어휘를 내 것으로 만들어 이해하려는 연습은 앞으로의 공부에 든든한 기초가 될 것입니다.

– 한송현 (고려대 경제학과 19학번)

**'일등급 어휘력'으로 어휘력과 학습 능력을 키워 보세요!**

# 초등 국어

# 일등급 어휘력

# ②

# 이 책으로 공부해야 하는 이유

## 하나 어휘력은 곧 학습 능력

- **어휘력이 중요한 이유** 초등학생 시기에 형성된 어휘력이 생각하는 힘을 길러 주며, 모든 학습 능력의 기초가 됩니다.
- **어휘력 향상 학습 시스템** 교과 어휘와 심화 어휘를 모두 익히는 이 책의 학습 시스템과 알차고 풍성한 내용으로 어휘력을 확실히 키울 수 있습니다.

## 둘 초등 교과서에서 24개의 주제어 선정

- **교과서를 분석한 주제어** 1, 2학년 교과서를 분석하여 초등 교과 이해력과 일상생활의 어휘력을 향상하는 데 도움이 되는 주제어를 선별하였습니다.
- **연상되는 낱말 학습** 재미있는 주제어를 통해 교과서 필수 낱말을 익히고, 주제어별로 연상되는 낱말을 효과적으로 학습할 수 있습니다.

## 셋 교과 어휘 & 심화 어휘로 연관된 어휘를 학습

교과 어휘 전 과목 교과서에 수록된 필수 어휘

- 교과서에서 배우는 꼭 알아야 하는 낱말을 주제어별로 묶어서 공부합니다.

심화 어휘 어휘력 향상에 도움이 되는 어려운 어휘

- 교과 어휘와 연관된 비슷한말, 반대말, 헷갈리는 말, 동음이의어, 관용어, 속담, 한자 성어 등을 심화 어휘로 수록하여 더욱 풍부한 어휘 학습이 가능합니다.

## 넷 다양한 문제로 어휘력을 향상하는 학습 시스템

- **확인 학습** 어휘의 사전적 의미와 문맥적 쓰임, 상황에 어울리는 표현 등을 이해하고 있는지 확인합니다.
- **어휘력 테스트** 본문의 회차와 대응되는 24회의 테스트로 학습 내용을 다시 점검하여 배운 낱말을 복습합니다.

# 이 책의 구조와

## 1 스스로 점검하며 **어휘 익히기**

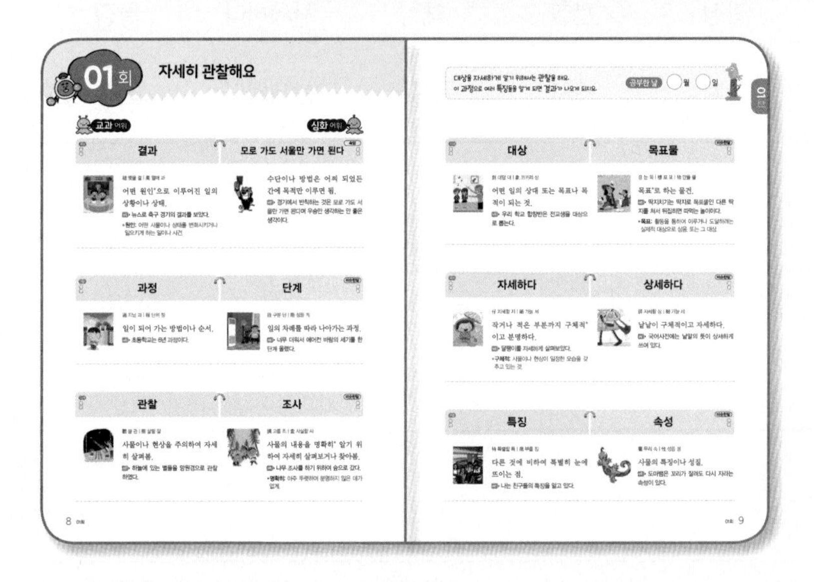


❶ **주제별로 제시된 교과 어휘**의 뜻풀이와 예문을 읽으며 문장 속 낱말의 쓰임을 익힙니다.

❷ 교과 어휘와 연계된 **심화 어휘를 익히며 어휘력을 확장**합니다.

❸ 낱말 옆의 체크 박스로 아는 낱말을 **체크하고 복습**합니다.

## 2 문제를 풀며 **실력 다지기**

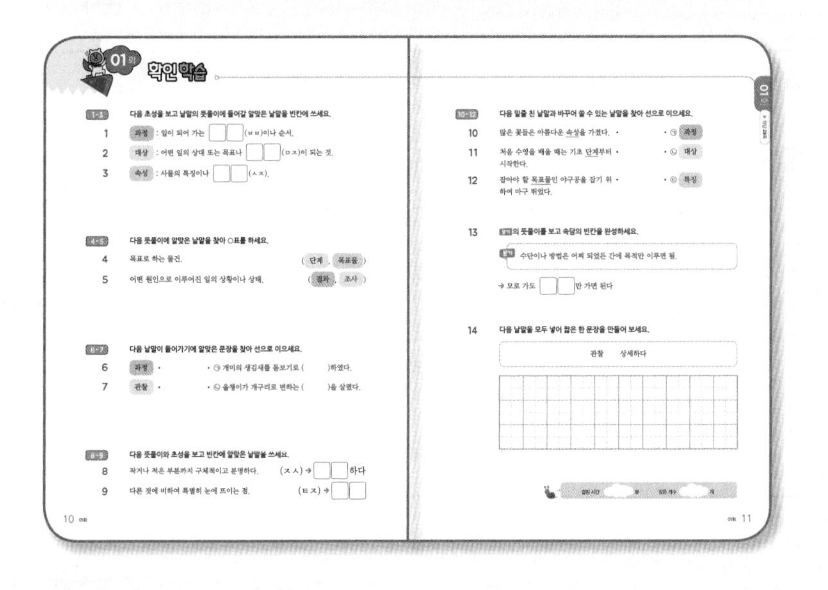


❶ **다양한 유형의 문제**를 풀며 낱말을 잘 배웠는지 확인합니다.

❷ 교과 어휘와 심화 어휘를 **골고루 익히고 문제에 적용**할 수 있는지 평가합니다.

❸ 배운 낱말을 활용한 **짧은 글짓기 문제로 창의력**을 키웁니다.

**어휘력 테스트:** ❶ 본문의 회차와 대응되는 **24회의 테스트로 학습 내용을 점검**합니다.
❷ 간단한 문제를 풀며 **낱말을 다시 한 번 익혀서** 완전히 자신의 것으로 만듭니다.
❸ 채점하여 점수를 기록하고, 틀린 문제의 낱말은 **뜻과 예문을 다시 살펴봅니다.**

이 책의
차례

# 자세히 관찰해요

## 결과

結 맺을 결 | 果 열매 과

어떤 원인*으로 이루어진 일의 상황이나 상태.

예 뉴스로 축구 경기의 **결과**를 보았다.

*__원인:__ 어떤 사물이나 상태를 변화시키거나 일으키게 하는 일이나 사건.

## 모로 가도 서울만 가면 된다

수단이나 방법은 어찌 되었든 간에 목적만 이루면 됨.

예 경기에서 반칙하는 것은 **모로 가도 서울만 가면 된다**며 우승만 생각하는 안 좋은 생각이다.

겨울

## 과정

過 지날 과 | 程 단위 정

일이 되어 가는 방법이나 순서.

예 초등학교는 6년 **과정**이다.

## 단계

段 구분 단 | 階 섬돌 계

일의 차례를 따라 나아가는 과정.

예 너무 더워서 에어컨 바람의 세기를 한 **단계** 올렸다.

국어

## 관찰

觀 볼 관 | 察 살필 찰

사물이나 현상을 주의하여 자세히 살펴봄.

예 하늘에 있는 별들을 망원경으로 **관찰**하였다.

## 조사

調 고를 조 | 査 사실할 사

사물의 내용을 명확히* 알기 위하여 자세히 살펴보거나 찾아봄.

예 나무 **조사**를 하기 위하여 숲으로 갔다.

*__명확히:__ 아주 뚜렷하여 분명하지 않은 데가 없게.

대상을 자세하게 알기 위해서는 관찰을 해요.
이 과정으로 여러 특징들을 알게 되면 결과가 나오게 되지요.

 월 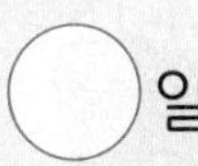 일

국어

## 대상

對 대답 대 | 象 코끼리 상

어떤 일의 상대 또는 목표나 목적이 되는 것.

예 우리 학교 합창반은 전교생을 **대상**으로 뽑는다.

비슷한말

## 목표물

目 눈 목 | 標 표 표 | 物 만물 물

목표*로 하는 물건.

예 딱지치기는 딱지로 **목표물**인 다른 딱지를 쳐서 뒤집히면 따먹는 놀이이다.

*목표: 활동을 통하여 이루거나 도달하려는 실제적 대상으로 삼음. 또는 그 대상.

국어

## 자세하다

仔 자세할 자 | 細 가늘 세

작거나 적은 부분까지 구체적* 이고 분명하다.

예 달팽이를 **자세하게** 살펴보았다.

*구체적: 사물이나 현상이 일정한 모습을 갖추고 있는 것.

비슷한말

## 상세하다

詳 자세할 상 | 細 가늘 세

낱낱이 구체적이고 자세하다.

예 국어사전에는 낱말의 뜻이 **상세하게** 쓰여 있다.

여름

## 특징

特 특별할 특 | 徵 부를 징

다른 것에 비하여 특별히 눈에 뜨이는 점.

예 나는 친구들의 **특징**을 알고 있다.

비슷한말

## 속성

屬 무리 속 | 性 성품 성

사물의 특징이나 성질.

예 도마뱀은 꼬리가 잘려도 다시 자라는 **속성**이 있다.

# 확인 학습

**1-3** **다음 초성을 보고 낱말의 뜻풀이에 들어갈 알맞은 낱말을 빈칸에 쓰세요.**

1 과정 : 일이 되어 가는 ☐☐(ㅂㅂ)이나 순서.

2 대상 : 어떤 일의 상대 또는 목표나 ☐☐(ㅁㅈ)이 되는 것.

3 속성 : 사물의 특징이나 ☐☐(ㅅㅈ).

**4-5** **다음 뜻풀이에 알맞은 낱말을 찾아 ○표를 하세요.**

4 목표로 하는 물건. ( 단계 , 목표물 )

5 어떤 원인으로 이루어진 일의 상황이나 상태. ( 결과 , 조사 )

**6-7** **다음 낱말이 들어가기에 알맞은 문장을 찾아 선으로 이으세요.**

6 과정 • • ㉠ 개미의 생김새를 돋보기로 (　　　)하였다.

7 관찰 • • ㉡ 올챙이가 개구리로 변하는 (　　　)을 살폈다.

**8-9** **다음 뜻풀이와 초성을 보고 빈칸에 알맞은 낱말을 쓰세요.**

8 작거나 적은 부분까지 구체적이고 분명하다. (ㅈㅅ) → ☐☐하다

9 다른 것에 비하여 특별히 눈에 뜨이는 점. (ㅌㅈ) → ☐☐

10-12 **다음 밑줄 친 낱말과 바꾸어 쓸 수 있는 낱말을 찾아 선으로 이으세요.**

**10** 많은 꽃들은 아름다운 속성을 가졌다. •

**11** 처음 수영을 배울 때는 기초 단계부터 시작한다. •

**12** 잡아야 할 목표물인 야구공을 잡기 위하여 마구 뛰었다. •

• ㉠ 과정

• ㉡ 대상

• ㉢ 특징

**13** **보기의 뜻풀이를 보고 속담의 빈칸을 완성하세요.**

보기 수단이나 방법은 어찌 되었든 간에 목적만 이루면 됨.

→ 모로 가도 ☐☐만 가면 된다

**14** **다음 낱말을 모두 넣어 짧은 한 문장을 만들어 보세요.**

관찰 상세하다

| | | | | | | | | | | | | | | | | | | | |
|---|---|---|---|---|---|---|---|---|---|---|---|---|---|---|---|---|---|---|---|
| | | | | | | | | | | | | | | | | | | | |
| | | | | | | | | | | | | | | | | | | | |

걸린 시간 분 맞은 개수 개

# 02회 의견을 말해요

국어

## 발표

發 필 발 | 表 겉 표

어떤 사실이나 결과, 작품 등을 세상에 널리 드러내어 알림.

예 손을 들어 **발표**를 하였다.

비슷한말

## 공표

公 공변될 공 | 表 겉 표

여러 사람에게 널리 드러내어 알림.

예 천문학자는 새로 발견한 행성에 대한 **공표**를 미룬다고 하였다.

국어

## 생각

헤아리고 판단*하고 알게 되는 것 등의 작용.

예 문제 푸는 방법에 대해 **생각**을 하였다.

*판단: 일정한 논리나 기준에 따라 사물의 가치와 관계를 결정함.

속담

## 고양이 쥐 생각

속으로는 그렇지 않으면서, 겉으로만 생각해 주는 척함.

예 **고양이 쥐 생각**한다고, 나에게 빵을 챙겨 주고는 옆에서 빼앗아 먹었다.

국어

## 의견

意 뜻 의 | 見 볼 견

어떤 사물 현상에 대하여 자기 마음에서 판단하여 가지는 생각.

예 함께 숙제를 하기 위하여 모두 **의견**을 말하였다.

비슷한말

## 견해

見 볼 견 | 解 풀 해

사물이나 현상*을 바라보는 생각이나 입장.

예 문제에 대하여 모두의 **견해**가 같았다.

*현상: 사물이나 어떤 작용이 드러나는 바깥 모양새.

**회의** 시간에 자신의 **생각**이나 **주장**을 말하는데, 이것을 **발표**라고 해요.
이때 자신과 다른 **의견**은 **존중**을 해야 하지요.

월

일

겨울

## 존중

## 숭상

尊 높을 존 | 重 무거울 중

높이어 매우 소중하게 여김.

예 개는 우리의 친구이므로 **존중**을 해야 한다.

崇 높을 숭 | 尙 오히려 상

높여 소중히 여김.

예 독립운동가들은 우리에게 **숭상**의 대상이다.

국어

## 주장

## 강조

主 주인 주 | 張 베풀 장

자신의 의견이나 생각을 굳게 내세움.

예 나는 나의 **주장**을 발표하였다.

強 강할 강 | 調 고를 조

어떤 부분을 특히 강하게 주장하거나 두드러지게 함.

예 형광펜을 중요한 부분에 그어 **강조**를 하였다.

국어

## 회의

## 협의

會 모일 회 | 議 의논할 의

여럿이 모여 의논함. 또는 그런 모임.

예 나는 친구들과 모여 **회의**를 하였다.

協 도울 협 | 議 의논할 의

둘 이상의 사람이 서로 협력*하여 의논함.

예 **협의**를 하여 청소할 곳을 정하였다.

***협력:** 힘을 합하여 서로 도움.

# 확인 학습

**1-3** **다음 낱말에 알맞은 뜻풀이를 찾아 선으로 이으세요.**

1 견해 •　　• ㉠ 높여 소중히 여김.

2 숭상 •　　• ㉡ 여럿이 모여 의논함. 또는 그런 모임.

3 회의 •　　• ㉢ 사물이나 현상을 바라보는 생각이나 입장.

**4-5** **다음 뜻풀이에 알맞은 낱말을 보기에서 찾아 빈칸에 쓰세요.**

보기

강조　　공표　　숭상

4 여러 사람에게 널리 드러내어 알림. ☐☐

5 어떤 부분을 특히 강하게 주장하거나 두드러지게 함. ☐☐

**6-7** **다음 빈칸에 들어갈 알맞은 낱말을 보기에서 찾아 쓰세요.**

보기

의견　　존중　　주장

6 학급 회의 시간에 나의 생각에 대하여 ☐☐을 하였다.

7 부모님께서는 나의 말에 귀 기울이시고 ☐☐을 해 주신다.

**8-9** **다음 뜻풀이와 초성을 보고 빈칸에 알맞은 낱말을 쓰세요.**

8 헤아리고 판단하고 알게 되는 것 등의 작용. (ㅅ ㄱ) → ☐☐

9 둘 이상의 사람이 서로 협력하여 의논함. (ㅎ ㅇ) → ☐☐

**10-12** 다음 낱말의 비슷한말을 찾아 선으로 이으세요.

| | | |
|---|---|---|
| 10 | 발표 • | • ㉠ 강조 |
| 11 | 의견 • | • ㉡ 견해 |
| 12 | 주장 • | • ㉢ 공표 |

**13** 다음 중 속담 '고양이 쥐 생각'의 상황으로 알맞은 것의 기호를 쓰세요.

㉠ 동생을 잘 돌보고 사이좋게 지내는 유진.
㉡ 친구와 싸운 동생의 마음을 달래 주는 형민.
㉢ 동생에게 공책을 선물하고는 자신이 쓴다며 가져온 재현.

**14** 다음 낱말을 모두 넣어 짧은 한 문장을 만들어 보세요.

생각 회의

# 03회 같이 계획을 세워요

국어

## 계획

計 꾀할 계 | 劃 새길 획

앞으로 할 일의 절차*, 방법 등을 미리 헤아려 작성함. 또는 그 내용.

예 방학을 어떻게 보낼지 **계획**을 하였다.

*절차: 일을 하는 데 거쳐야 하는 일정한 차례와 방법.

## 구상

構 얽을 구 | 想 생각 상

앞으로 이루려는 일에 대하여 전체적인 내용, 과정 등을 이리저리 생각함.

예 만화가는 새로운 작품에 대한 **구상**을 하였다.

여름

## 맞추다

정해진 기준*과 일치하게 하다.

예 기차 시간에 **맞추어** 역에 도착하였다.

*기준: 사물의 정도나 성격 등을 알기 위한 기본이나 근거.

## 맞히다

문제에 대한 답을 틀리지 아니하다.

예 나누기 문제의 답을 **맞혔다**.

봄

## 방법

方 모 방 | 法 법도 법

목적을 이루기 위해 취하는 방식.

예 걷기는 건강을 지킬 수 있는 쉬운 **방법**이다.

## 수단

手 손 수 | 段 구분 단

목적을 이루기 위한 방법이나 도구.

예 휴대 전화는 통신 **수단** 중 하나이다.

함께 **계획**을 **세울** 때는 **의논**을 하며 무엇을 어떤 **방법**으로 할지 **정해요**.
그리고 함께 시간을 어떻게 **맞출지도 정하지요**.

  월  일

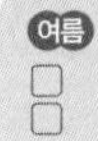

## 세우다

## 뜻을 세우다

계획, 결심, 자신감 등이 마음속에 이루어지게 하다.

예 내일부터 아침에 일찍 일어나겠다는 결심을 **세웠다**.

앞으로 닥쳐올 날의 목표를 마음에 품고 결심하다.

예 작년보다 많이 읽겠다는 **뜻을 세우고** 열심히 책을 읽었다.

봄

## 의논

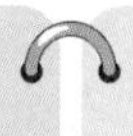

## 상의

議 의논할 의 | 論 논의할 논

어떤 일에 대하여 서로 의견을 주고받음.

예 계곡에서 무엇을 할지 **의논**을 하였다.

相 서로 상 | 議 의논할 의

어떤 일을 서로 의논함.

예 가족 여행에 대하여 **상의**를 하였다.

봄

## 정하다

## 선정하다

定 정할 정

여럿 가운데 선택*하거나 판단하여 결정하다.

예 등산 갈 날을 **정하였다**.

***선택:** 여럿 가운데서 골라 뽑음.

選 가릴 선 | 定 정할 정

여럿 가운데서 어떤 것을 뽑아 정하다.

예 서울시는 우리 동네를 살기 좋은 마을로 **선정하였다**.

# 확인 학습

**1-3** **다음 낱말의 뜻풀이로 알맞은 것에 ○표를 하세요.**

**1** 계획
- ㉠ 목적을 이루기 위해 취하는 방식. ( )
- ㉡ 앞으로 할 일의 절차, 방법 등을 미리 헤아려 작성함. 또는 그 내용. ( )

**2** 세우다
- ㉠ 여럿 가운데서 어떤 것을 뽑아 정하다. ( )
- ㉡ 계획, 결심, 자신감 등이 마음속에 이루어지게 하다. ( )

**3** 수단
- ㉠ 목적을 이루기 위한 방법이나 도구. ( )
- ㉡ 어떤 일에 대하여 서로 의견을 주고받음. ( )

**4-5** **다음 뜻풀이에 알맞은 낱말을 찾아 선으로 이으세요.**

**4** 어떤 일을 서로 의논함. • • ㉠ 구상

**5** 앞으로 이루려는 일에 대하여 전체적인 내용, 과정 등을 이리저리 생각함. • • ㉡ 상의

**6-7** **다음 빈칸에 들어갈 알맞은 낱말을 보기에서 찾아 쓰세요.**

보기: 맞혀 선정하여 세워

**6** 계획을 ( ) 아침 운동을 시작하였다.

**7** 함께 볼 영화를 ( ) 가족과 함께 영화관에 갔다.

**8-9** **다음 뜻풀이와 초성을 보고 빈칸에 알맞은 낱말을 쓰세요.**

**8** 정해진 기준과 일치하게 하다. (ㅁㅊㄷ) → ☐☐☐

**9** 목적을 이루기 위해 취하는 방식. (ㅂㅂ) → ☐☐

**10-11** **다음 밑줄 친 낱말과 바꾸어 쓸 수 있는 낱말을 찾아 선으로 이으세요.**

**10** 여러 방법 중 색연필로 그림을 색칠하였다. • • ㉠ 계획

**11** 글짓기에서 어떤 글을 쓸지 구상을 하였다. • • ㉡ 수단

**12** **보기를 보고 빈칸에 들어갈 알맞은 낱말을 쓰세요.**

맞추었다 맞혔다

→ 우리 반은 운동회에서 행진할 때 발을 ( ).

**13** **보기를 보고 밑줄 친 관용어의 뜻풀이로 알맞은 것의 기호를 쓰세요.**

더욱 건강해지겠다는 뜻을 세우고 저녁마다 줄넘기를 하였다.

㉠ 남의 뜻을 이어받아서 그대로 따라 하다.
㉡ 앞으로 닥쳐올 날의 목표를 마음에 품고 결심하다.

**14** **다음 낱말을 모두 넣어 짧은 한 문장을 만들어 보세요.**

계획 세우다

걸린 시간 분 맞은 개수 개

# 04회 운동회를 해요

국어

## 결승

決 결정할 결 | 勝 이길 승

운동 경기 등에서 마지막으로 승부를 가리기 위한 경기.

예 달리기 **결승**에서 우승을 하였다.

## 예선

豫 미리 예 | 選 가릴 선

여럿 중에서 본선*에 나갈 선수나 팀을 뽑음.

예 장애물 달리기 **예선** 경기를 하였다.

*본선: 경기나 대회 등에서 여러 단계를 거쳐 우승자를 결정하기 위한 최종 선발.

여름

## 도착

到 다다를 도 | 着 붙을 착

목적한 곳에 이르러 닿음.

예 등산을 하여 마침내 산꼭대기에 **도착**을 하였다.

비슷한말

## 당도

當 마땅할 당 | 到 다다를 도

미리 정해 놓은 곳이나 시점*에 닿아서 이름.

예 집에 **당도**를 하자 강아지가 문 앞에서 기다리고 있었다.

*시점: 시간의 흐름 위의 어느 한 순간.

겨울

## 응원

應 응할 응 | 援 도울 원

운동 경기 등에서 선수들이 힘을 낼 수 있도록 도와주는 일.

예 우리나라 축구팀이 승리하기를 바라며 **응원**을 하였다.

비슷한말

## 성원

聲 소리 성 | 援 도울 원

하는 일이 잘되도록 격려하거나 도와줌.

예 불우 이웃 돕기 모금에 많은 **성원**이 이어지고 있다.

운동회에 **참가**하면 함께 **협동**하여 줄다리기도 하고 **응원**을 해요.
달리기 **결승**에서 우승하려면 먼저 **도착**하여 결승선을 **통과**해야 하지요.

공부한 날  월 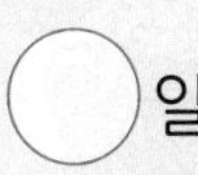 일

겨울

## 참가

參 참여할 참 | 加 더할 가

어떠한 모임이나 단체 등에 관계하여 들어감.

예 불꽃 축제에는 많은 나라들이 **참가**를 한다.

반대말

## 이탈

離 떠날 이 | 脫 벗을 탈

어떤 범위나 대열* 등에서 벗어남.

예 산에서는 등산로를 **이탈**하면 안 된다.

***대열:** 줄을 지어 늘어선 행렬.

여름

## 통과

通 통할 통 | 過 지날 과

해당 기준이나 조건에 맞아 인정되거나 합격함.

예 우리 반이 축구 대회 예선에 **통과**하였다.

반대말

## 탈락

脫 벗을 탈 | 落 떨어질 락

어떤 데에 끼지 못하고 떨어지거나 빠짐.

예 점수가 부족해 자격증을 따지 못하고 **탈락**하였다.

국어

## 협동

協 도울 협 | 同 같을 동

서로 마음과 힘을 합함.

예 우리는 **협동**을 하여 많은 연탄을 열심히 날랐다.

속담

## 백지장도 맞들면 낫다

쉬운 일이라도 힘을 합하여 하면 훨씬 쉬움.

예 **백지장도 맞들면 낫다**고, 분리수거를 하시는 아버지를 도와드렸다.

1-3 **다음 초성을 보고 낱말의 뜻풀이에 들어갈 알맞은 낱말을 빈칸에 쓰세요.**

1 결승 : 운동 경기 등에서 마지막으로 ☐☐(ㅅㅂ)를 가리기 위한 경기.

2 참가 : 어떠한 모임이나 ☐☐(ㄷㅊ) 등에 관계하여 들어감.

3 협동 : 서로 ☐☐(ㅁㅇ)과 힘을 합함.

4-5 **다음 뜻풀이에 알맞은 낱말을 보기에서 찾아 빈칸에 쓰세요.**

보기

당도 성원 통과

4 미리 정해 놓은 곳이나 시점에 닿아서 이름. ☐☐

5 해당 기준이나 조건에 맞아 인정되거나 합격함. ☐☐

6-7 **다음 낱말이 들어가기에 알맞은 문장을 찾아 선으로 이으세요.**

6 이탈 • • ㉠ 배구 대회에서 ( )하여 아쉬웠다.

7 탈락 • • ㉡ 달리기 경기는 정해진 길을 ( )하면 안 된다.

8-9 **다음 뜻풀이와 초성을 보고 빈칸에 알맞은 낱말을 쓰세요.**

8 목적한 곳에 이르러 닿음. (ㄷㅊ) → ☐☐

9 여럿 중에서 본선에 나갈 선수나 팀을 뽑음. (ㅇㅅ) → ☐☐

10 **다음 중 짝 지어진 낱말의 관계가 나머지와 다른 것의 기호를 쓰세요.**

㉠ 도착 – 당도 ㉡ 성원 – 응원 ㉢ 탈락 – 통과

11-12 다음 낱말의 반대말을 찾아 선으로 이으세요.

**11** 예선 • • ㉠ 결승

**12** 이탈 • • ㉡ 참가

**13** 다음 대화를 보고 밑줄 친 속담의 뜻풀이로 알맞은 것의 기호를 쓰세요.

윤서: 가방도 무거운데 짐도 많아서 너무 힘들다.
현주: 윤서야, 짐이 왜 그렇게 많아? 많이 무겁지? 백지장도 맞들면 낫다고 내가 같이 들어 줄게!

㉠ 쉬운 일이라도 힘을 합하여 하면 훨씬 쉬움.
㉡ 남에게 말이나 행동을 좋게 하여야 남도 자신에게 좋게 함.

**14** 다음 낱말을 모두 넣어 짧은 한 문장을 만들어 보세요.

결승 응원

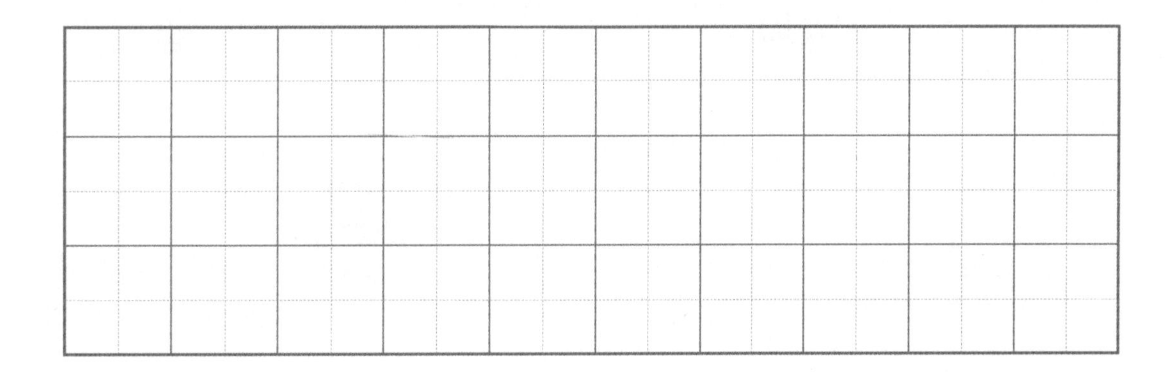

걸린 시간 분 맞은 개수 개

# 05회 날씨가 궁금해요

국어

## 가랑비

가늘게 내리는 비로, 이슬비보다는 조금 굵음.

예 해가 밝게 비치다가 갑자기 **가랑비**가 내렸다.

속담

## 가랑비에 옷 젖는 줄 모른다

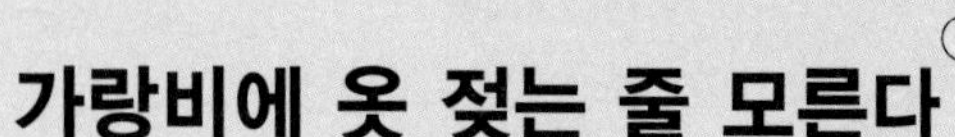

아무리 작은 것이라도 그것이 반복되면 무시하지 못할 정도로 크게 됨.

예 **가랑비에 옷 젖는 줄 모른다**고, 매일 과자를 사 먹었더니 어느새 용돈을 다 썼다.

국어

## 기온

氣 기운 기 | 溫 따뜻할 온

대기*의 온도.

예 오늘 낮 **기온**은 33도였다.

*대기: 지구를 둘러싸고 있는 기체로, 공기를 달리 이르는 말.

비슷한말

## 수은주

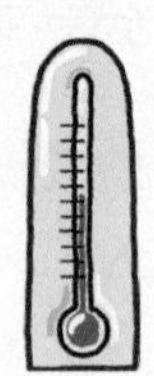

水 물 수 | 銀 은 은 | 柱 기둥 주

수은 온도계나 기압계의 유리관에 수은이 채워진 부분.

예 여름에는 **수은주**가 많이 올라간다.

여름

## 날씨

비, 구름, 기온 등의 변화에 따른 공기의 상태.

예 봄이 오니 **날씨**가 포근해지고 꽃도 많이 피었다.

비슷한말

## 일기

日 날 일 | 氣 기운 기

일정한 지역에서 나타나는 그날그날의 기상* 상태.

예 이번 주의 **일기**가 궁금하여 뉴스를 보았다.

*기상: 바람, 구름 등 공기 중에서 일어나는 모든 현상.

가랑비가 내리다가 하늘이 개면 **눈부시고 화창해져요.**
하지만 기온이 내려가면 **쌀쌀하니** 날씨에 맞게 옷을 입어요.

공부한 날  월  일

국어

## 눈부시다

빛이 아주 아름답고 강하여 바로 보기 어렵다.

예 장맛비가 그치니 무지개가 뜨고 하늘이 **눈부셨다.**

비슷한말 

## 황홀하다

恍 황홀할 황 | 惚 황홀할 홀

눈이 부시어 어릿어릿할 정도로 화려하다.

예 새해의 첫 해맞이는 **황홀하였다.**

가을

## 쌀쌀하다

춥게 느껴질 정도로 차다.

예 바람이 많이 불어 앞을 보기가 힘들고 **쌀쌀하게** 느껴졌다.

비슷한말 

## 냉랭하다

冷 찰 냉 | 冷 찰 랭

온도가 몹시 낮아서 차다.

예 눈이 내리고 날씨가 **냉랭하여** 옷을 따뜻하게 입었다.

국어

## 화창하다

和 화목할 화 | 暢 화창할 창

날씨나 하늘이 맑고 따뜻하다.

예 어제는 흐렸지만 오늘은 **화창하였다.**

반대말 

## 음산하다

陰 응달 음 | 散 흩을 산

날씨가 흐리고 으스스하다.

예 비가 내리고 어두워 날씨가 **음산하였다.**

# 확인 학습

**1-3** **다음 낱말에 알맞은 뜻풀이를 찾아 선으로 이으세요.**

1 냉랭하다 • • ㉠ 온도가 몹시 낮아서 차다.

2 눈부시다 • • ㉡ 날씨나 하늘이 맑고 따뜻하다.

3 화창하다 • • ㉢ 빛이 아주 아름답고 강하여 바로 보기 어렵다.

**4-5** **다음 뜻풀이에 알맞은 낱말을 보기에서 찾아 빈칸에 쓰세요.**

보기
가랑비 기온 날씨

4 대기의 온도. (　　　)

5 비, 구름, 기온 등의 변화에 따른 공기의 상태. (　　　)

**6-7** **다음 빈칸에 들어갈 알맞은 낱말을 보기에서 찾아 쓰세요.**

보기
가랑비 수은주 일기

6 이번 겨울에는 작년보다 (　　　)가 많이 내려갔다.

7 오늘 (　　　) 예보에서 비가 온다고 하여 우산을 챙겼다.

**8-9** **다음 뜻풀이와 초성을 보고 빈칸에 알맞은 낱말을 쓰세요.**

8 날씨가 흐리고 으스스하다. (ㅇ ㅅ) → □□하다

9 눈이 부시어 어릿어릿할 정도로 화려하다. (ㅎ ㅎ) → □□하다

**10-11** **다음 밑줄 친 낱말과 바꾸어 쓸 수 있는 낱말을 찾아 선으로 이으세요.**

**10** 꽃들이 펴 있는 공원에 가니 황홀하였다. • • ㉠ 냉랭하였다

**11** 밤에 비가 내려 날씨가 많이 쌀쌀하였다. • • ㉡ 눈부셨다

**12** **다음 중 짝 지어진 낱말의 관계가 반대말인 것의 기호를 쓰세요.**

㉠ 수은주 – 기온 ㉡ 음산하다 – 화창하다 ㉢ 일기 – 날씨

**13** **보기의 뜻풀이를 보고 속담의 빈칸을 완성하세요.**

보기 아무리 작은 것이라도 그것이 반복되면 무시하지 못할 정도로 크게 됨.

→ 가랑비에 [ ] 젖는 줄 모른다

**14** **다음 낱말을 모두 넣어 짧은 한 문장을 만들어 보세요.**

날씨 눈부시다

걸린 시간 분 맞은 개수 개

# 06회 산책을 해요

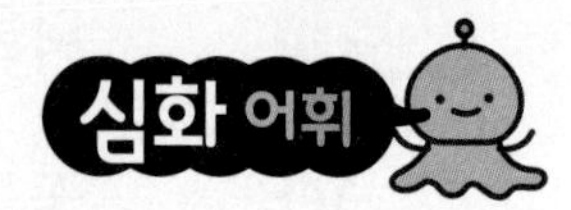

## 가벼다

옷차림이나 마음 등이 가뿐하다*.

예 여름은 겨울보다 옷을 **가볍게** 입는다.

*가뿐하다: 몸의 상태가 가볍고 상쾌하다.

## 경쾌하다

輕 가벼울 경 | 快 쾌할 쾌

움직임이나 모습, 기분 등이 가볍고 상쾌하다*.

예 오늘 기다리던 방학을 하여서 기분이 **경쾌하였다**.

*상쾌하다: 느낌이 시원하고 산뜻하다.

국어

## 걸어가다

목적지를 향하여 발로 걸어서 나아가다.

예 가방이 무거워서 학교에 **걸어가는** 것이 힘들었다.

## 보행하다

步 걸음 보 | 行 다닐 행

걸어 다니다.

예 다리에 석고 붕대를 하여 **보행하는** 데 불편하였다.

국어

## 목적지

目 눈 목 | 的 과녁 적 | 地 땅 지

목적으로 삼는 곳.

예 지하철에서 노래를 들으며 책을 읽느라 **목적지**를 지나쳤다.

## 행선지

行 다닐 행 | 先 먼저 선 | 地 땅 지

떠나가는 목적지.

예 버스 터미널은 **행선지**마다 버스를 타는 곳이 다르다.

우리는 가끔 **가볍게 외출**을 하여 공원에 **걸어가요.**
또 **목적지**를 정하지 않고 **주변**을 산책하며 **쉬기도** 하지요.

공부한 날 ( )월 ( )일



국어

## 쉬다

속담

## 넘어진 김에 쉬어 간다

하던 일을 멈추고 몸을 편안히 두다.

예) 과수원에서 배를 따다가 잠시 **쉬었다.**

뜻하지 아니한 기회를 만나 자기가 하려고 하던 일을 이룸.

예) **넘어진 김에 쉬어 간다**고 공부를 하러 도서관에 간 김에 읽고 싶었던 책들을 빌렸다.

여름

## 외출

비슷한말

## 출타

外 바깥 외 | 出 날 출

집이나 회사 등에서 일을 보러 밖에 나감.

예) 겨울에 **외출**을 하려면 옷을 따뜻하게 입어야 한다.

出 날 출 | 他 다를 타

집에 있지 않고 다른 곳에 나감.

예) 할머니께서는 봉사 활동을 가시기 위해 **출타**를 하셨다.

가을

## 주변

반대말

## 중심

周 두루 주 | 邊 가 변

어떤 대상의 둘레.

예) 주말에 집 **주변**을 걸었다.

中 가운데 중 | 心 마음 심

사물의 한가운데.

예) 나는 시계탑을 **중심**에 두고 자전거를 탔다.

# 확인 학습

**1-3** **다음 낱말의 뜻풀이로 알맞은 것에 ○표를 하세요.**

**1** 목적지
㉠ 목적으로 삼는 곳. (　　)
㉡ 어떤 대상의 둘레. (　　)

**2** 중심
㉠ 사물의 한가운데. (　　)
㉡ 집이나 회사 등에서 일을 보러 밖에 나감. (　　)

**3** 출타
㉠ 떠나가는 목적지. (　　)
㉡ 집에 있지 않고 다른 곳에 나감. (　　)

**4-5** **다음 뜻풀이에 알맞은 낱말을 찾아 선으로 이으세요.**

**4** 걸어 다니다. • 　　• ㉠ 가볍다

**5** 옷차림이나 마음 등이 가뿐하다. • 　　• ㉡ 보행하다

**6-7** **다음 빈칸에 들어갈 알맞은 낱말을 보기에서 찾아 쓰세요.**

보기
가벼워서　　걸어가서　　쉬어서

**6** 숙제를 끝냈더니 마음이 (　　　　) 날아갈 것 같았다.

**7** 공휴일이 긴 덕분에 오래 (　　　　) 피곤이 많이 풀렸다.

**8-9** **다음 뜻풀이와 초성을 보고 빈칸에 알맞은 낱말을 쓰세요.**

**8** 움직임이나 모습, 기분 등이 가볍고 상쾌하다. (ㄱ ㅋ) → □□하다

**9** 하던 일을 멈추고 몸을 편안히 두다. (ㅅ ㄷ) → □□

10-11 다음 밑줄 친 낱말과 바꾸어 쓸 수 있는 낱말을 보기에서 찾아 쓰세요.

보기

경쾌하였다 보행하였다 쉬었다

**10** 공사를 하여 길이 좁아 불편하게 걸어갔다. ( )

**11** 새 신발을 신어서 기분이 좋아 발걸음이 가벼웠다. ( )

**12** 다음 중 짝 지어진 낱말의 관계가 나머지와 다른 것의 기호를 쓰세요.

㉠ 중심 – 주변 ㉡ 출타 – 외출 ㉢ 행선지 – 목적지

**13** 다음 중 속담 '넘어진 김에 쉬어 간다'의 상황으로 알맞은 것의 기호를 쓰세요.

㉠ 길에서 물건을 주워 주인을 찾아 준 효주.
㉡ 태풍 때문에 밖에 나가지 못하여 밀린 공부를 한 윤재.

**14** 다음 낱말을 모두 넣어 짧은 한 문장을 만들어 보세요.

목적지 가볍다

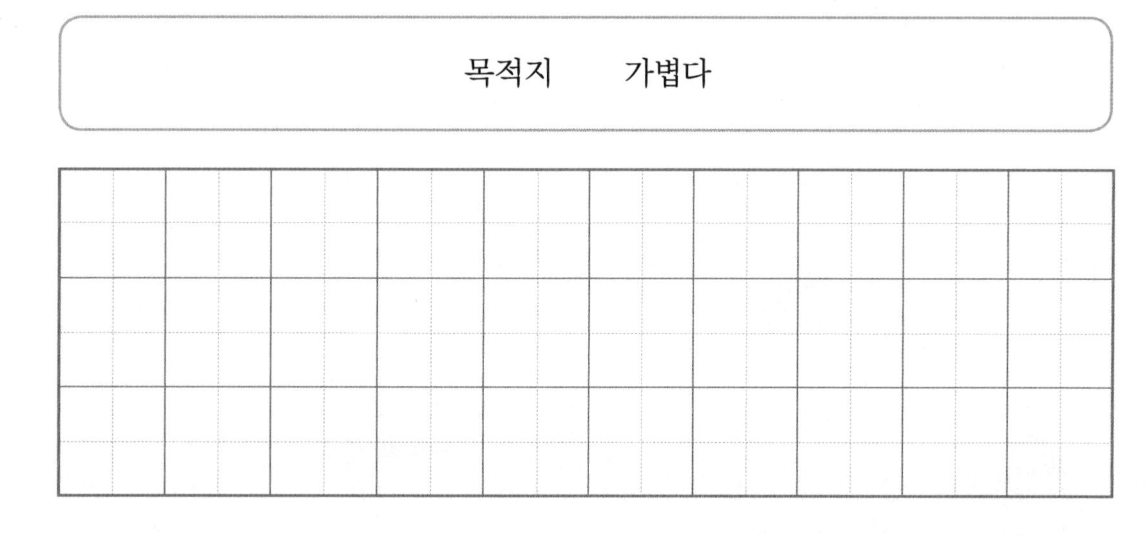

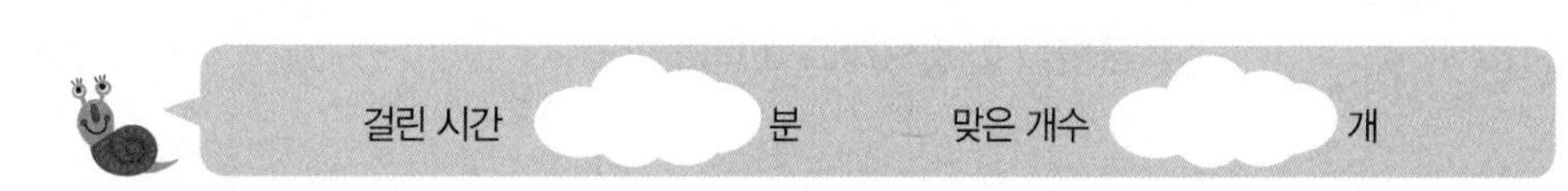

# 07회 건강을 지켜요

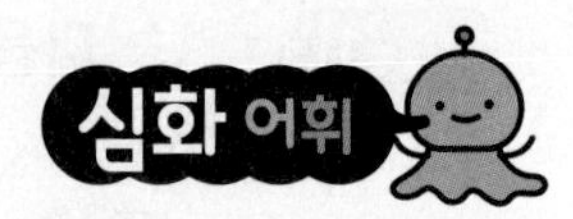

국어

## 건강

健 굳셀 건 | 康 편안할 강

몸이나 정신이 튼튼함.

예 건강은 건강할 때 지켜야 한다.

반대말

## 허약

虛 빌 허 | 弱 약할 약

힘이나 기운*이 없고 약함.

예 허약 체질인 사람은 다른 사람들보다 감기에 걸리기 쉽다.

*기운: 생물이 살아 움직이는 힘.

국어

## 결심

決 결정할 결 | 心 마음 심

어떻게 하기로 자신의 마음을 굳게 정함.

예 편식하지 않고 골고루 먹기로 결심을 하였다.

비슷한말

## 작정

作 지을 작 | 定 정할 정

일을 어떻게 하기로 결정*함.

예 우리 가족은 대청소를 하기로 작정을 하였다.

*결정: 행동이나 태도를 분명하게 정함.

겨울

## 균형

均 고를 균 | 衡 저울대 형

한쪽으로 기울거나 치우치지 않고 고른 상태.

예 균형을 잘 잡으려고 노력하였다.

비슷한말

## 평형

平 평평할 평 | 衡 저울대 형

사물이나 생각 등이 한쪽으로 기울지 않고 똑바로 있는 상태.

예 피겨 스케이팅은 평형이 중요하다.

건강을 지키기 위해서는 균형 잡힌 식사와 운동을 해야 해요.
매일 달리기를 하기로 결심을 하면 금방 적응을 할 수 있을 거예요.

월 일

국어

## 달리기

빨리 뛰어가는 일.

예 체육 시간에 달리기를 하여 땀이 많이 나고 더웠다.

속담

## 달리는 말에 채찍질

기운차고* 한창 좋을 때 더 힘을 가함.

예 달리는 말에 채찍질이라고, 매일 책을 세 장씩 읽다가 내일부터는 열 장씩 읽기로 다짐하였다.

*기운차다: 힘이 가득하고 넘치는 듯하다.

여름

## 운동

運 운전할 운 | 動 움직일 동

몸을 굳세게 하거나 건강을 위하여 몸을 움직이는 일.

예 물에 들어가기 전에 운동을 하였다.

비슷한말

## 활동

活 살 활 | 動 움직일 동

몸을 움직여 행동함.

예 오빠는 취미 활동으로 주말마다 꽃꽂이를 배운다.

국어

## 적응

適 갈 적 | 應 응할 응

일정한 조건이나 환경 등에 맞추어 잘 어울림.

예 할머니와 할아버지께서는 금방 아침 운동에 적응을 하셨다.

비슷한말

## 동화

同 같을 동 | 化 될 화

처음에 성질이나 성격 등 다르던 것이 서로 같게 됨.

예 새 학년이 되고 얼마 되지 않아, 친구들과 동화가 되는 것을 느꼈다.

# 확인 학습

**1-3** **다음 초성을 보고 낱말의 뜻풀이에 들어갈 알맞은 낱말을 빈칸에 쓰세요.**

**1** 결심 : 어떻게 하기로 자신의 ☐☐(ㅁㅇ)을 굳게 정함.

**2** 평형 : 사물이나 ☐☐(ㅅㄱ) 등이 한쪽으로 기울지 않고 똑바로 있는 상태.

**3** 활동 : ☐(ㅁ)을 움직여 행동함.

**4-5** **다음 뜻풀이에 알맞은 낱말을 보기에서 찾아 빈칸에 쓰세요.**

보기: 달리기 동화 작정

**4** 일을 어떻게 하기로 결정함. (　　　)

**5** 처음에 성질이나 성격 등 다르던 것이 서로 같게 됨. (　　　)

**6-7** **다음 낱말이 들어가기에 알맞은 문장을 찾아 선으로 이으세요.**

**6** 균형 • • ㉠ 나는 학교생활에 금방 (　　　)을 하였다.

**7** 적응 • • ㉡ 운동을 하여 (　　　)이 잡힌 몸을 만들고 싶다.

**8-9** **다음 뜻풀이와 초성을 보고 빈칸에 알맞은 낱말을 쓰세요.**

**8** 몸이나 정신이 튼튼함. (ㄱㄱ) → ☐☐

**9** 힘이나 기운이 없고 약함. (ㅎㅇ) → ☐☐

**10** **다음 중 짝 지어진 낱말의 관계가 반대말인 것의 기호를 쓰세요.**

㉠ 동화 – 적응　　㉡ 운동 – 활동　　㉢ 허약 – 건강

▶ 정답 29쪽

**11-12** **다음 밑줄 친 낱말과 바꾸어 쓸 수 있는 낱말을 찾아 선으로 이으세요.**

**11** 몸이 어지러워 걸을 때 균형을 잡기가 힘들었다. • • ㉠ 결심

**12** 나는 경주에서 우승할 것이라 작정을 하고 열심히 뛰었다. • • ㉡ 평형

**13** **다음 대화를 보고 밑줄 친 속담의 뜻풀이로 알맞은 것의 기호를 쓰세요.**

> 기준: 요즘 아침에 일찍 일어나 국어 낱말 공부를 하고 있어요.
> 선생님: 그래서 실력이 많이 늘었구나! 그러면 달리는 말에 채찍질이라고, 저녁에도 공부를 해 보는 것은 어떨까? 실력이 더 좋아질 거야!

㉠ 기운차고 한창 좋을 때 더 힘을 가함.
㉡ 남이 무슨 일을 하건 상관할 필요가 없음.

**14** **다음 낱말을 모두 넣어 짧은 한 문장을 만들어 보세요.**

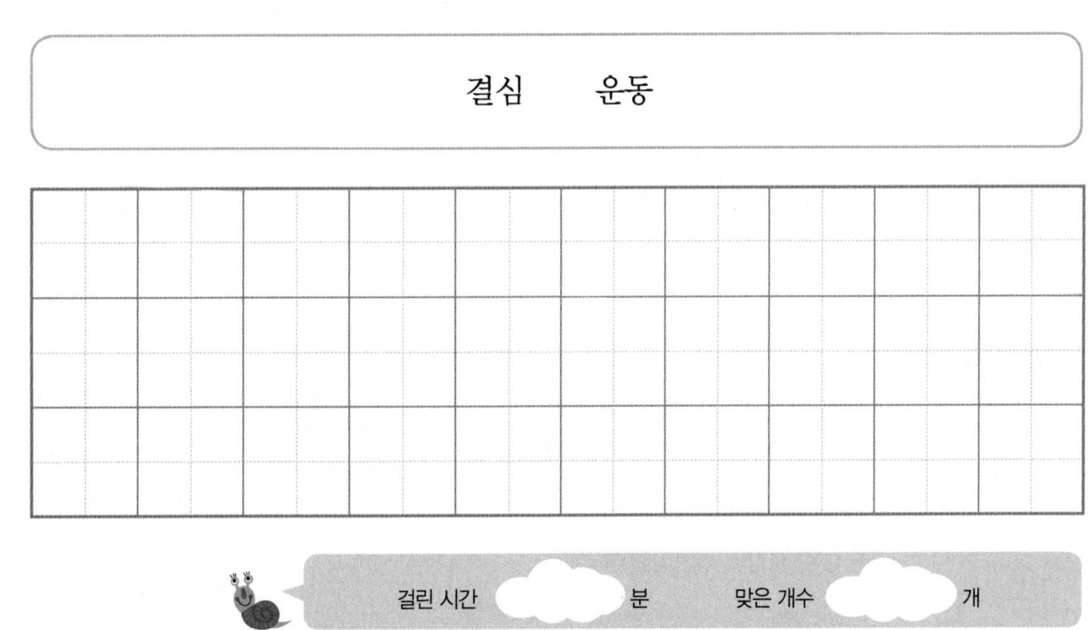

# 08회 신나게 노래해요

국어

## 감정

感 느낄 감 | 情 뜻 정

어떤 것에 대하여 일어나는 마음이나 느끼는 기분.

예 **감정**만 앞서는 것은 옳지 않다.

관용어

## 감정을 사다

남의 감정을 마음에 들지 않거나 좋지 않게 만들다.

예 친구의 일기장을 몰래 읽어서 **감정을 사고** 말았다.

가을

## 리듬

음의 길고 짧음이나 강약 등이 반복될 때의 그 규칙적인 음의 흐름.

예 피아노 **리듬**에 맞춰 바이올린을 연주하였다.

비슷한말

## 박자

拍 손뼉칠 박 | 子 아들 자

음악이 계속되는 시간을 헤아리는 기본 단위.

예 **박자**를 맞추지 못하자 선생님께서 박수로 맞추어 주셨다.

국어

## 음악

音 소리 음 | 樂 풍류 악

박자, 가락 등을 어울리게 하여 목소리나 악기로 감정 등을 나타내는 예술.

예 **음악** 시간에 리코더를 불었다.

비슷한말

## 선율

旋 돌 선 | 律 법 율

소리의 높낮이가 길이나 리듬과 어울려 나타나는 음의 흐름.

예 피아노 **선율**이 아름답게 들렸다.

음악을 들으면 느껴지는 **감정**이 있어요. 우리는 **리듬**을 **즐기고** **춤**을 추기도 하지요. 그리고 여러 사람과 **합창**을 하기도 해요.

 월 일

봄

## 즐기다

즐겁게 누리다*.

예 이번 겨울에 눈이 많이 내려 친구와 함께 눈을 **즐겼다**.

*누리다: 생활 속에서 마음껏 즐기거나 직접 겪어보다.

## 구가하다

謳 노래할 구 | 歌 노래 가

기쁜 마음 등을 거리낌* 없이 나타내다.

예 가수는 높은 인기를 **구가하고** 있다.

*거리낌: 일이나 행동 등을 하는 데에 걸려서 방해가 됨.

국어

## 춤

음악에 맞추거나 흥에 겨워 팔다리와 몸을 움직이는 동작.

예 축제에서 사람들이 음악에 맞추어 **춤**을 추었다.

## 무용

舞 춤출 무 | 踊 뛸 용

음악에 맞추어 힘찬 움직임으로 감정 등을 표현함.

예 한국 **무용**에는 부채춤이 있다.

국어

## 합창

合 합할 합 | 唱 부를 창

여러 사람이 목소리를 맞추어서 노래를 부름.

예 친구들과 대회에 나가 **합창**을 하였다.

## 독창

獨 홀로 독 | 唱 부를 창

혼자서 노래를 부름.

예 세계적인 성악가가 음악회에서 **독창**을 하였다.

# 확인 학습

**1-3** **다음 낱말에 알맞은 뜻풀이를 찾아 선으로 이으세요.**

1 감정 •  • ㉠ 여러 사람이 목소리를 맞추어서 노래를 부름.

2 박자 •  • ㉡ 음악이 계속되는 시간을 헤아리는 기본 단위.

3 합창 •  • ㉢ 어떤 것에 대하여 일어나는 마음이나 느끼는 기분.

**4-5** **다음 뜻풀이에 알맞은 낱말을 보기에서 찾아 빈칸에 쓰세요.**

보기: 리듬 무용 선율

4 음악에 맞추어 힘찬 움직임으로 감정 등을 표현함. ☐☐

5 소리의 높낮이가 길이나 리듬과 어울려 나타나는 음의 흐름. ☐☐

**6-7** **다음 빈칸에 들어갈 알맞은 낱말을 보기에서 찾아 쓰세요.**

보기: 감정 음악 춤

6 그 가수는 노래도 잘하고 ( )도 잘 춘다.

7 나는 매일 저녁 ( )을 들으며 스트레스를 푼다.

**8-9** **다음 뜻풀이와 초성을 보고 빈칸에 알맞은 낱말을 쓰세요.**

8 기쁜 마음 등을 거리낌 없이 나타내다. (ㄱㄱ) → ☐☐하다

9 혼자서 노래를 부름. (ㄷㅊ) → ☐☐

10-12 **다음 낱말의 비슷한말을 찾아 선으로 이으세요.**

10 무용 •　　　• ㉠ 리듬

11 박자 •　　　• ㉡ 선율

12 음악 •　　　• ㉢ 춤

13 **다음을 보고 밑줄 친 관용어의 뜻풀이를 완성하세요.**

• 동생에게 장난을 심하게 쳐서 감정을 샀다.
• 어머니께 계속 말대꾸를 하여 감정을 샀다.

→ 남의 [ ][ ]을 [ ][ ]에 들지 않거나 좋지 않게 만들다.

14 **다음 낱말을 모두 넣어 짧은 한 문장을 만들어 보세요.**

박자　　음악

| | | | | | | | | | |
|---|---|---|---|---|---|---|---|---|---|
| | | | | | | | | | |
| | | | | | | | | | |

걸린 시간 (　　) 분　　맞은 개수 (　　) 개

# 책이 좋아요

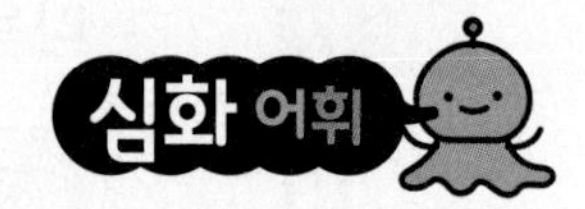


여름

## 감상

感 느낄 감 | 想 생각 상

마음속에서 일어나는 느낌이나 생각.

예 음악을 듣고 느낀 **감상**을 말하였다.

## 소감

所 바 소 | 感 느낄 감

마음에 느낀 바.

예 미술관에서 예술 작품을 본 **소감**을 말하였다.

국어

## 읽다

글을 보고 거기에 담긴 뜻을 헤아려* 알다.

예 할아버지께서는 아침마다 의자에 앉아 신문을 **읽으신다**.

***헤아리다:** 짐작하여 가늠하거나 미루어 생각하다.

## 독서하다

讀 읽을 독 | 書 글 서

책을 읽다.

예 나는 매일 저녁 **독서하는** 좋은 습관이 있다.

국어

## 주인공

主 주인 주 | 人 사람 인 | 公 공변될 공

연극, 소설 등에서 사건의 중심이 되는 인물.

예 만화 영화에서 **주인공**이 보물을 찾아 나섰다.

## 중심인물

中 가운데 중 | 心 마음 심 | 人 사람 인 | 物 만물 물

어떤 사건이나 단체의 중심이 되는 인물.

예 할아버지께서 동화책의 **중심인물**에 대하여 이야기해 주셨다.

우리가 읽는 책은 출판이 된 책이에요. 감상을 하며 읽으면 지혜를 얻을 수 있고, 책 속 주인공도 만날 수 있지요.

국어

## 지혜

智 지혜 지 | 慧 슬기로울 혜

사물을 제대로 알고 잘 대처*할 방법을 생각해 내는 능력.

예 박물관에서 조상의 **지혜**를 느꼈다.

*대처: 어떤 사건 등에 대하여 알맞은 계획이나 수단을 행함.

비슷한말

## 현명

賢 어질 현 | 明 밝을 명

지혜롭고 일을 제대로 앎.

예 경찰 아저씨께서 **현명**하게 일을 처리하셨다.

국어

## 책

冊 책 책

종이를 여러 장 겹쳐서 엮은 것.

예 해가 지고 밤이 되는 것도 모르고 **책**을 읽었다.

관용어

## 책상머리나 지키다

현실과 부딪치지 않고 책임감 없이 한 자리만 맴돌거나 글자만 보다.

예 **책상머리나 지키는** 것보다는, 발표를 해 보아야 수업 내용을 잘 이해할 수 있다.

국어

## 출판

出 날 출 | 版 널조각 판

책이나 그림 등을 인쇄하여 세상에 내놓음.

예 **출판**이 된 책은 서점에서 살 수 있다.

비슷한말

## 발간

發 필 발 | 刊 책 펴낼 간

책이나 신문, 잡지 등을 만들어 냄.

예 만화가는 책의 **발간**이 얼마 남지 않아 밤새 일을 하였다.

# 09회 확인 학습

**1-3 다음 낱말의 뜻풀이로 알맞은 것에 ○표를 하세요.**

**1** 발간
- ㉠ 종이를 여러 장 겹쳐서 엮은 것. ( )
- ㉡ 책이나 신문, 잡지 등을 만들어 냄. ( )

**2** 중심인물
- ㉠ 마음에 느낀 바. ( )
- ㉡ 어떤 사건이나 단체의 중심이 되는 인물. ( )

**3** 현명
- ㉠ 지혜롭고 일을 제대로 앎. ( )
- ㉡ 연극, 소설 등에서 사건의 중심이 되는 인물. ( )

**4-5 다음 뜻풀이에 알맞은 낱말을 찾아 선으로 이으세요.**

**4** 마음속에서 일어나는 느낌이나 생각. • • ㉠ 감상

**5** 책이나 그림 등을 인쇄하여 세상에 내놓음. • • ㉡ 출판

**6-7 다음 빈칸에 들어갈 알맞은 낱말을 보기에서 찾아 쓰세요.**

보기: 감상 발간 주인공

**6** 동화책에서 ( )이 울자 동생도 따라 울었다.

**7** 일기의 마지막에 오늘 하루에 대한 ( )을 적었다.

**8-9 다음 뜻풀이와 초성을 보고 빈칸에 알맞은 낱말을 쓰세요.**

**8** 책을 읽다. (ㄷㅅ) → □□하다

**9** 사물을 제대로 알고 잘 대처할 방법을 생각해 내는 능력. (ㅈㅎ) → □□

**10-12** **다음 밑줄 친 낱말과 바꾸어 쓸 수 있는 낱말을 보기 에서 찾아 쓰세요.**

보기

감상　　중심인물　　출판

**10** 나는 책이 재미있어서 친구에게 소감을 말해 주었다. (　　　)

**11** 발간이 되기를 기다리던 책을 드디어 내일 읽을 수 있다. (　　　)

**12** 영화 속의 주인공들은 현명하게 어려운 일을 헤쳐 나간다. (　　　)

**13** **다음 중 관용어 '책상머리나 지키다'의 상황으로 알맞은 것의 기호를 쓰세요.**

㉠ 교과서를 보며 친구들과 의견을 나누는 경진.
㉡ 조별 활동에 참여하지 않고 교과서만 보고 있는 우정.
㉢ 날이 더웠지만 운동장에서 체육 수업을 끝까지 열심히 듣는 연희.

**14** **다음 낱말을 모두 넣어 짧은 한 문장을 만들어 보세요.**

책　　읽다

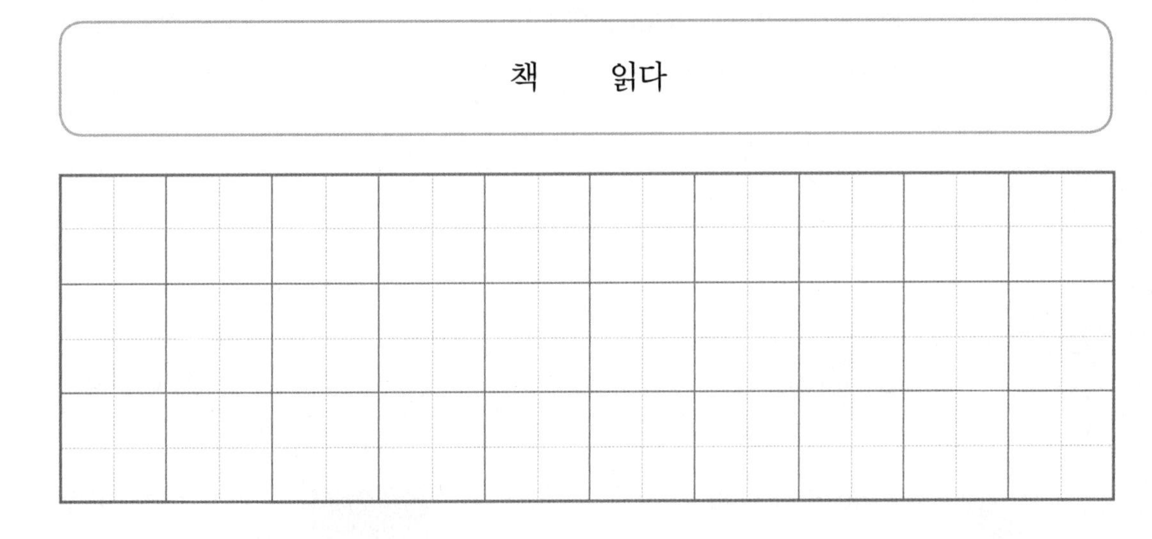

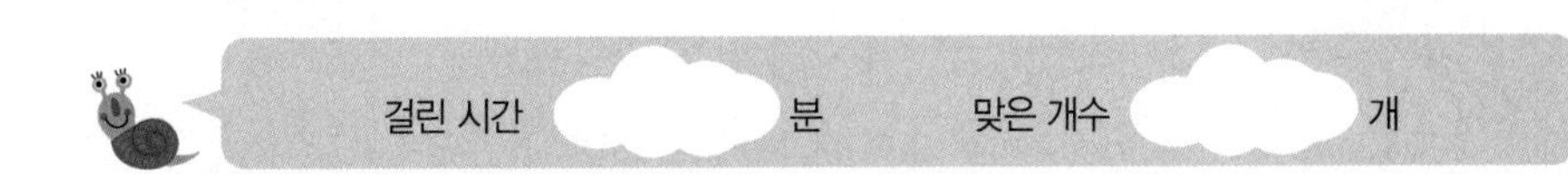

# 다른 나라를 알아보아요

국어

## 공통점

共 함께 공 | 通 통할 통 | 點 점찍을 점

둘 또는 그 이상 사이에 두루 같거나 통하는 점.

예 우리 가족은 모두 김치를 좋아한다는 **공통점**이 있다.

반대말

## 차이점

差 어그러질 차 | 異 다를 이 | 點 점찍을 점

서로 같지 아니하고 다른 점.

예 선생님께서 과일과 야채의 **차이점**에 대하여 설명해 주셨다.

국어

## 글자

字 글자 자

말을 일정한 체계*로 적는 것으로 한글, 한자, 숫자 등을 이름.

예 받아쓰기에서 한 **글자**를 틀렸다.

***체계:** 각각의 것이 원리에 따라 짜임새 있게 합한 전체.

비슷한말

## 문자

文 글월 문 | 字 글자 자

사람의 언어를 적는 데 사용하는 기호*.

예 한글은 우리나라의 **문자**이다.

***기호:** 어떠한 뜻을 나타내는 부호, 그림, 문자 등을 모두 이르는 말.

국어

## 다르다

서로 같지 않다.

예 나는 동생과 쌍둥이이지만 성격이 매우 **다르다**.

헷갈리는 말

## 틀리다

맞지 않고 어긋나다.

예 공책에 문제를 **틀리게** 썼다고 짝꿍이 알려 주었다.

세계의 여러 **민족**은 **문화**가 다르고, 글자 등 **언어**도 달라요.
하지만 서로 가까운 **민족**들은 **공통점**이 있지요.

공부한 날 ( )월 ( )일

겨울

## 문화

文 글월 문 | 化 될 화

삶을 풍요롭게* 하기 위한 것으로, 언어, 예술 등.

예 전래 동화에는 우리나라의 **문화**가 담겨 있다.

***풍요롭다:** 흠뻑 많아서 넉넉함이 있다.

비슷한말

## 문물

文 글월 문 | 物 만물 물

문화에서 나온 것으로, 예술, 학문, 종교 등에 관한 모든 것을 이르는 말.

예 우리가 평소에 입는 옷은 외국에서 들어온 **문물**이다.

겨울

## 민족

民 백성 민 | 族 겨레 족

오랜 시간 함께 생활하며 언어와 문화의 공통점을 바탕으로 만들어진 집단.

예 설은 우리 **민족**의 큰 명절이다.

비슷한말

## 동족

同 같을 동 | 族 겨레 족

같은 핏줄을 이어받은 민족.

예 6·25 전쟁은 우리 **동족**끼리 싸운 마음 아픈 전쟁이다.

국어

## 언어

言 말씀 언 | 語 말씀 어

생각, 느낌 등을 나타내거나 전달하는 데에 쓰는 음성, 문자 등의 수단.

예 세계에는 여러 **언어**들이 있다.

속담

## 낮말은 새가 듣고 밤말은 쥐가 듣는다

아무도 안 듣는 곳에서도 말조심해야 함.

예 **낮말은 새가 듣고 밤말은 쥐가 듣는다**고, 말을 할 때는 항상 조심해야 한다.

# 확인 학습

**1-3** **다음 초성을 보고 낱말의 뜻풀이에 들어갈 알맞은 낱말을 빈칸에 쓰세요.**

**1** 글자 : 말을 일정한 ☐☐(ㅊㄱ)로 적는 것으로 한글, 한자, 숫자 등을 이름.

**2** 동족 : 같은 ☐☐(ㅍㅈ)을 이어받은 민족.

**3** 언어 : 생각, 느낌 등을 나타내거나 전달하는 데에 쓰는 ☐☐(ㅇㅅ), 문자 등의 수단.

**4-5** **다음 뜻풀이에 알맞은 낱말을 찾아 선으로 이으세요.**

**4** 사람의 언어를 적는 데 사용하는 기호. • • ㉠ 문물

**5** 문화에서 나온 것으로, 예술, 학문, 종교 등에 관한 모든 것을 이르는 말. • • ㉡ 문자

**6-7** **다음 낱말이 들어가기에 알맞은 문장을 찾아 선으로 이으세요.**

**6** 공통점 • • ㉠ 강아지와 고양이의 울음소리는 (　　　)이 있다.

**7** 차이점 • • ㉡ 나와 짝꿍은 바나나를 좋아한다는 (　　　)이 있다.

**8-9** **다음 뜻풀이와 초성을 보고 빈칸에 알맞은 낱말을 쓰세요.**

**8** 오랜 시간 함께 생활하며 언어와 문화의 공통점을 바탕으로 만들어진 집단. (ㅁㅈ) → ☐☐

**9** 삶을 풍요롭게 하기 위한 것으로, 언어, 예술 등. (ㅁㅎ) → ☐☐

**10** **다음 중 짝 지어진 낱말의 관계가 반대말인 것의 기호를 쓰세요.**

㉠ 동족 – 민족　　㉡ 문물 – 문화　　㉢ 차이점 – 공통점

**11-12** **보기**의 밑줄 친 낱말 중 다음 뜻풀이에 알맞은 것을 찾아 기호를 쓰세요.

보기
- 어제 읽은 책과 ㉠다른 책을 골라 읽었다.
- 연필을 사고 거스름돈을 받았는데 내 계산과는 ㉡틀렸다.

**11** 서로 같지 않다. (　　　)

**12** 맞지 않고 어긋나다. (　　　)

**13** **보기**의 뜻풀이를 보고 속담의 빈칸을 완성하세요.

보기 아무도 안 듣는 곳에서도 말조심해야 함.

→ 낮말은 새가 듣고 ☐☐은 쥐가 듣는다

**14** **다음 낱말을 모두 넣어 짧은 한 문장을 만들어 보세요.**

문화　　다르다

| | | | | | | | | | |
|---|---|---|---|---|---|---|---|---|---|
| | | | | | | | | | |
| | | | | | | | | | |
| | | | | | | | | | |

걸린 시간 　　분　　맞은 개수 　　개

# 11회 명절이 다가왔어요

## 고향

故 옛 고 | 鄕 시골 향

태어나 자라난 곳.

예 주말에 어머니의 **고향**에 가서 농사일을 도와드렸다.

## 객지

반대말

客 손님 객 | 地 땅 지

자신의 집을 떠나 임시*로 있는 곳.

예 아버지께서는 오래 전에 **객지**인 서울에 혼자 올라오셨다.

***임시:** 정해져 있는 것이 아니고 필요에 따라 그때그때 정한 것.

국어

## 귀성

歸 돌아올 귀 | 省 살필 성

부모님을 뵙기 위해 고향으로 돌아가거나 돌아옴.

예 아버지께서는 안전한 **귀성**을 위해 자동차를 점검하셨다.

## 귀향

비슷한말

歸 돌아올 귀 | 鄕 시골 향

고향으로 돌아가거나 돌아옴.

예 **귀향**을 하려는 차들로 고속 도로가 꽉 막혔다.

국어

## 명절

名 이름 명 | 節 마디 절

해마다 일정하게 지키어 즐기거나 기념하는 때.

예 **명절**에 할머니, 할아버지를 뵈러 갔다.

## 홍동백서

한자 성어

紅 붉을 홍 | 東 동녘 동 | 白 흰 백 | 西 서녘 서

제사상을 차릴 때 붉은 과일은 동쪽에 흰 과일은 서쪽에 놓는 일.

예 **홍동백서**에 맞게 차례상에 음식을 놓았다.

명절에는 많은 사람들이 **귀성**을 가고 **풍습** 중 하나인 차례를 지내요.
고향에서 **친척**들과 즐거운 시간도 보내고 **추석**에는 송편을 먹지요.

 월 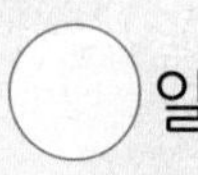 일

가을

## 추석

秋 가을 추 | 夕 저녁 석

우리나라의 명절로, 당해*에 난 쌀과 과일 등으로 차례를 지냄.

예 가족들과 함께 **추석**에 송편을 만들어 먹었다.

*당해: 일이 있는 바로 그해.

## 중추절

仲 버금 중 | 秋 가을 추 | 節 마디 절

음력* 팔월에 있는 명절로, 추석을 달리 이르는 말.

예 **중추절**에 커다란 보름달을 보며 소원을 빌었다.

*음력: 달이 지구를 한 바퀴 도는 시간을 기준으로 만든 달력.

여름

## 친척

親 친할 친 | 戚 겨레 척

같은 핏줄로 관계가 있는 일정한 범위의 사람들.

예 명절에 **친척**들과 모여 재미 있는 윷놀이를 하였다.

## 인척

姻 혼인 인 | 戚 겨레 척

남자와 여자가 부부가 되어 맺어진 친척.

예 나는 이모부와 **인척** 관계가 되었다.

국어

## 풍습

風 바람 풍 | 習 익힐 습

풍속*과 습관을 함께 이르는 말.

예 동지에는 팥죽을 먹는 **풍습**이 있다.

*풍속: 옛날부터 전해 오는 생활 전체의 습관 등을 이르는 말.

## 관습

慣 버릇 관 | 習 익힐 습

한 사회에서 오랫동안 굳어진 질서나 풍습.

예 명절에 차례를 지내는 것은 우리나라의 **관습**이다.

# 확인 학습

1-3 다음 낱말에 알맞은 뜻풀이를 찾아 선으로 이으세요.

1 귀성 • • ㉠ 풍속과 습관을 함께 이르는 말.

2 인척 • • ㉡ 남자와 여자가 부부가 되어 맺어진 친척.

3 풍습 • • ㉢ 부모님을 뵙기 위해 고향으로 돌아가거나 돌아옴.

4-5 다음 뜻풀이에 알맞은 낱말을 보기 에서 찾아 빈칸에 쓰세요.

보기: 객지 관습 명절

4 자신의 집을 떠나 임시로 있는 곳. ☐☐

5 한 사회에서 오랫동안 굳어진 질서나 풍습. ☐☐

6-7 다음 빈칸에 들어갈 알맞은 낱말을 보기 에서 찾아 쓰세요.

보기: 고향 중추절 풍습

6 어머니의 (      )은 서울이다.

7 정월 대보름에는 땅콩과 같은 부럼을 먹는 (      )이 있다.

8-9 다음 뜻풀이와 초성을 보고 빈칸에 알맞은 낱말을 쓰세요.

8 고향으로 돌아가거나 돌아옴. (ㄱ ㅎ) → ☐☐

9 우리나라의 명절로, 당해에 난 쌀과 과일 등으로 차례를 지냄. (ㅊ ㅅ) → ☐☐

**10-11** **다음 낱말의 비슷한말을 찾아 선으로 이으세요.**

**10** 관습 •　　　　• ㉠ 중추절

**11** 추석 •　　　　• ㉡ 풍습

**12** **다음 중 짝 지어진 낱말의 관계가 나머지와 다른 것의 기호를 쓰세요.**

㉠ 객지 – 고향　　㉡ 귀향 – 귀성　　㉢ 인척 – 친척

**13** **다음 대화의 밑줄 친 한자 성어를 보고 빈칸에 들어갈 알맞은 것의 기호를 쓰세요.**

아버지: 제사상에 과일을 올릴 때는 홍동백서를 지켜야 한단다.
윤찬: 그렇다면, 빨간 사과는 (　　　), 배는 서쪽에 놓으면 되겠네요!

㉠ 동쪽　　㉡ 서쪽　　㉢ 남쪽　　㉣ 북쪽

**14** **다음 낱말을 모두 넣어 짧은 한 문장을 만들어 보세요.**

명절　　친척

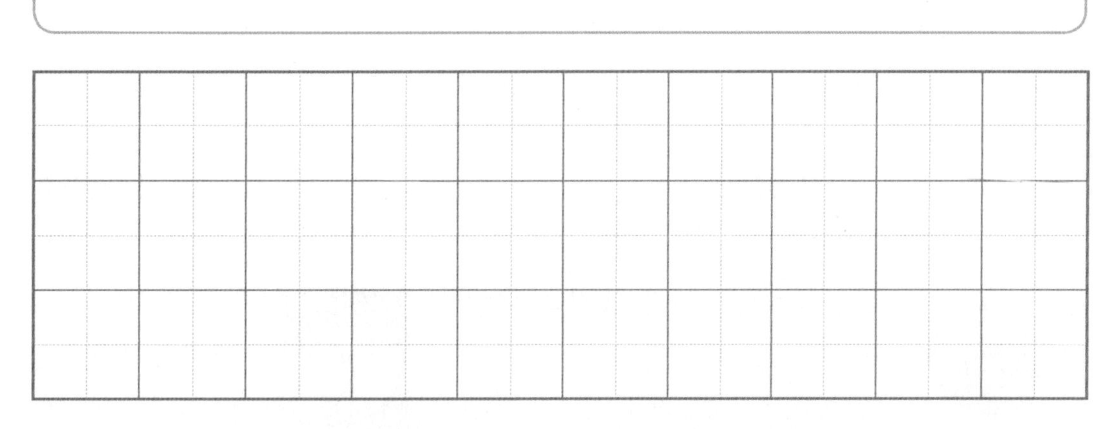

걸린 시간 　분　　맞은 개수 　개

# 맛있는 음식을 먹어요

## 과식

過 지날 과 | 食 먹을 식

지나치게 많이 먹음.

예 저녁 식사 때 과식을 하여 속이 좋지 않아 힘들었다.

## 포식

飽 배부를 포 | 食 먹을 식

배부르게 먹음.

예 오랜만에 좋아하는 음식들로 포식을 하였다.

국어

## 끼니

아침, 점심, 저녁으로 하루 세 번 정하여진 시간에 먹는 밥.

예 배가 많이 고파 휴게소에서 끼니를 때웠다.

## 식사

食 먹을 식 | 事 일 사

끼니로 음식을 먹음.

예 주말 저녁에 가족과 함께 저녁 식사를 하였다.

국어

## 마시다

물이나 주스 등의 액체를 목구멍으로 넘기다.

예 방학 때 목장에 가서 직접 짠 신선한 우유를 마셨다.

## 흡입하다

吸 숨 들이쉴 흡 | 入 들 입

빨아들이거나 들이마시다.

예 담배 연기를 흡입하는 것은 건강에 좋지 않다.

우리는 보통 세 번 끼니를 챙겨 먹고 물이나 주스 등도 마셔요.
배고팠다가 부모님께서 요리하신 음식을 먹으면 과식을 하기도 해요.

월

일

국어

## 배고프다

배 속이 비어서 음식이 먹고 싶다.

예 아침을 든든히 먹고 등교하여 **배고프지** 않았다.

비슷한말

## 허기지다

虛 빌 허 | 飢 주릴 기

몹시 배가 고파 몸의 기운이 빠지다.

예 바쁘게 하루를 보내고 나니 너무나 **허기지고** 힘들었다.

여름

## 요리

料 되질할 요 | 理 다스릴 리

여러 과정*을 거쳐 음식을 만듦.

예 아버지께서는 **요리** 솜씨가 무척 좋으시다.

*과정: 일이나 상태가 진행되는 방법이나 순서.

비슷한말

## 조리

調 고를 조 | 理 다스릴 리

여러 가지 재료를 잘 맞추어 음식을 만듦.

예 같은 재료라도 누가 **조리**를 하는지에 따라 맛이 달라진다.

여름

## 음식

飮 마실 음 | 食 먹을 식

사람이 먹고 마실 수 있도록 만든 모든 것.

예 내가 가장 좋아하는 **음식**은 설날에 꼭 먹는 떡국이다.

관용어

## 음식 구경을 못 하다

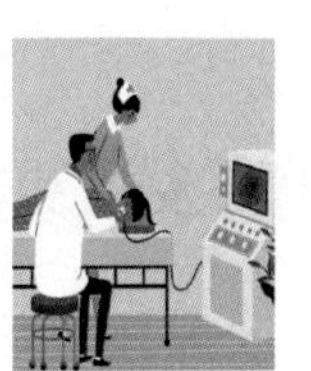

맹물*도 입에 대지 못하고 완전히 굶다.

예 이모께서는 건강 검진 때문에 긴 시간 동안 **음식 구경을 못 하셨다**.

*맹물: 아무것도 타지 아니한 물.

# 12회 확인 학습

1-3 **다음 낱말의 뜻풀이로 알맞은 것에 ○표를 하세요.**

**1** 과식
㉠ 지나치게 많이 먹음. (　　)
㉡ 여러 과정을 거쳐 음식을 만듦. (　　)

**2** 식사
㉠ 배부르게 먹음. (　　)
㉡ 끼니로 음식을 먹음. (　　)

**3** 흡입하다
㉠ 빨아들이거나 들이마시다. (　　)
㉡ 배 속이 비어서 음식이 먹고 싶다. (　　)

4-5 **다음 뜻풀이에 알맞은 낱말을 찾아 선으로 이으세요.**

**4** 여러 가지 재료를 잘 맞추어 음식을 만듦. •　　　• ㉠ 끼니

**5** 아침, 점심, 저녁으로 하루 세 번 정하여진 시간에 먹는 밥. •　　　• ㉡ 조리

6-7 **다음 빈칸에 들어갈 알맞은 낱말을 보기 에서 찾아 쓰세요.**

보기
마셨다　　배고팠다

**6** 산에 올라가 시원한 물을 (　　　　).

**7** 체육 시간에 축구를 열심히 하여 (　　　　).

8-9 **다음 뜻풀이와 초성을 보고 빈칸에 알맞은 낱말을 쓰세요.**

**8** 물이나 주스 등의 액체를 목구멍으로 넘기다. (ㅁㅅㄷ) ➔ □□□

**9** 사람이 먹고 마실 수 있도록 만든 모든 것. (ㅇㅅ) ➔ □□

**10-12** **다음 밑줄 친 낱말과 바꾸어 쓸 수 있는 낱말을 찾아 선으로 이으세요.**

**10** 저녁에 과식을 하고 배탈이 났다. • • ㉠ 식사

**11** 동생이 끼니마다 반찬 투정을 하였다. • • ㉡ 요리

**12** 아버지께서 요리사의 조리 방법으로 음식을 만들어 주셨다. • • ㉢ 포식

**13** **다음 중 관용어 '음식 구경을 못 하다'의 상황으로 알맞은 것의 기호를 쓰세요.**

㉠ 배탈이 나서 아무것도 먹지 못한 주영.
㉡ 등산을 하느라 과일과 땅콩만 먹은 현희.
㉢ 배가 부르다며 음식을 반이나 남긴 호준.

**14** **다음 낱말을 모두 넣어 짧은 한 문장을 만들어 보세요.**

음식　　배고프다

걸린 시간 　 분　　맞은 개수 　 개

# 13회 우리 가족이에요

교과 어휘

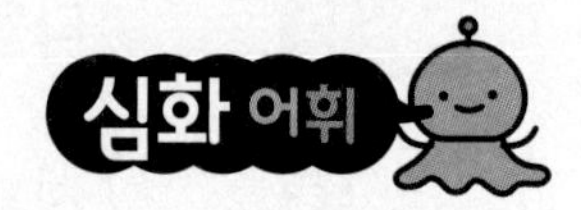

심화 어휘

여름

## 가족

家 집 가 | 族 겨레 족

주로 부부를 중심으로 아들, 딸, 손주 등으로 이루어진 집단.

예 가족과 함께 봄나들이를 갔다.

비슷한말

## 식구

食 먹을 식 | 口 입 구

같은 집에서 살며 끼니를 함께 하는 사람.

예 우리 식구는 네 명이다.

가을

## 닮다

서로 비슷한 생김새나 성질*을 지니다.

예 나는 아버지와 웃는 모습이 닮았다.

*성질: 사물이나 현상이 가지고 있는 본바탕.

비슷한말

## 유사하다

類 무리 유 | 似 같을 사

서로 비슷하다.

예 친구와 나는 생김새가 유사하고 성격도 비슷하다.

국어

## 사랑

어떤 사람을 아끼고 위하며 소중히 여기는 마음.

예 할머니께서는 나에 대한 사랑이 남다르시다.

비슷한말

## 총애

寵 괼 총 | 愛 사랑 애

남달리 귀여워하고 사랑함.

예 조선시대 최고의 과학자인 장영실은 왕의 총애를 받았다.

우리 가족은 모두 닮았어요. 사랑과 존경으로 가득한 우리 가족은 무척 소중하지요. 또한 화목을 가장 중요하다고 생각한답니다.

 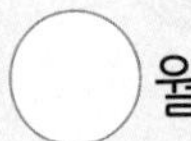 월 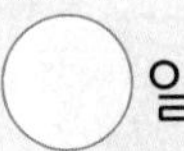 일 

## 소중하다

## 귀중하다

비슷한말

所 바 소 | 重 중요할 중

지니고 있는 가치*나 의미가 중요하여 매우 귀하다.

예) 내가 기르는 강아지는 나의 **소중한** 가족이다.

*가치: 사물이 지니고 있는 쓸모.

貴 귀할 귀 | 重 중요할 중

매우 가치가 크고 중요하다.

예) 우리는 자연을 **귀중하게** 여겨야 한다.

국어

## 존경

## 무시

반대말

尊 높을 존 | 敬 공경할 경

우러러 공손히* 받들어 모심.

예) **존경**을 하는 마음을 담아 선생님께 꽃을 달아 드렸다.

*공손히: 겸손하고 예의 바른 말이나 행동으로.

無 없을 무 | 視 볼 시

사물의 가치를 가볍게 여기거나 인정하지 않음.

예) 횡단보도의 신호등이 초록색 불인데 차가 **무시**하고 지나갔다.

여름

## 화목

## 가화만사성

한자 성어

和 화목할 화 | 睦 화목할 목

서로 뜻이 맞고 정다움.

예) 이웃과의 **화목**을 위해서는 집에서 뛰지 말아야 한다.

家 집 가 | 和 화목할 화 | 萬 일만 만 | 事 일 사 | 成 이룰 성

집안이 화목하면 모든 일이 잘 이루어짐.

예) 우리 집 가훈*은 **가화만사성**이다.

*가훈: 집안 어른이 자손들에게 주는 가르침.

**1-3** **다음 초성을 보고 낱말의 뜻풀이에 들어갈 알맞은 낱말을 빈칸에 쓰세요.**

**1** 귀중하다 : 매우 ☐☐(ㄱㅊ)가 크고 중요하다.

**2** 식구 : 같은 집에서 살며 ☐☐(ㄲㄴ)를 함께 하는 사람.

**3** 존경 : 우러러 ☐☐☐(ㄱㅅㅎ) 받들어 모심.

**4-5** **다음 뜻풀이에 알맞은 낱말을 찾아 선으로 이으세요.**

**4** 서로 비슷하다. • • ㉠ 소중하다

**5** 지니고 있는 가치나 의미가 중요하여 매우 귀하다. • • ㉡ 유사하다

**6-7** **다음 낱말이 들어가기에 알맞은 문장을 찾아 선으로 이으세요.**

**6** 무시 • • ㉠ 고모께서는 조카들 중에 나를 (    )하시고 아껴 주신다.

**7** 총애 • • ㉡ 친구가 (    )를 하고 얄밉게도 내 말을 못 들은 체하였다.

**8-9** **다음 뜻풀이와 초성을 보고 빈칸에 알맞은 낱말을 쓰세요.**

**8** 서로 비슷한 생김새나 성질을 지니다. (ㄷㄷ) → ☐☐

**9** 서로 뜻이 맞고 정다움. (ㅎㅁ) → ☐☐

**10** **다음 중 짝 지어진 낱말의 관계가 나머지와 다른 것의 기호를 쓰세요.**

㉠ 식구 – 가족 ㉡ 존경 – 무시 ㉢ 총애 – 사랑

**11-12** **다음 밑줄 친 낱말과 바꾸어 쓸 수 있는 낱말을 보기에서 찾아 쓰세요.**

보기
귀중한 닮은

**11** 우리는 모양이 서로 유사한 머리핀을 샀다. ( )

**12** 선물 받은 책은 나에게 가장 소중한 물건이다. ( )

**13** **다음 대화를 보고 한자 성어 '가화만사성'의 뜻풀이를 완성하세요.**

나희: 동생과 사이좋게 지내야 해.
인영: 부모님 말씀도 잘 들어야 한다고 생각해.

➔ ☐☐이 화목하면 모든 일이 잘 이루어짐.

**14** **다음 낱말을 모두 넣어 짧은 한 문장을 만들어 보세요.**

가족 소중하다

걸린 시간 분 맞은 개수 개

# 추운 겨울이 왔어요

겨울

## 겨울잠

겨울에 동물이 활동을 멈추고 땅속 등에서 겨울을 보내는 일.

예 겨울이 되면 개구리는 **겨울잠**을 자러 땅속으로 들어간다.

## 동면

冬 겨울 동 | 眠 잠잘 면

동물이 겨울 동안 활동을 멈추고 땅속 깊이 들어간 상태로 있음.

예 봄에는 **동면**을 하던 동물들이 잠에서 깨어난다.

국어

## 난방

暖 따뜻할 난 | 房 방 방

실내*의 온도를 높여 따뜻하게 하는 일.

예 온돌은 우리나라의 **난방** 방법이다.

*실내: 방이나 건물 등의 안.

## 냉방

冷 찰 냉 | 房 방 방

실내의 온도를 낮춰 차게 하는 일.

예 여름에 **냉방**을 심하게 하면 감기에 걸릴 수 있다.

국어

## 얼다

액체나 물기가 있는 물체가 찬 기운 때문에 고체 상태로 굳어지다.

예 개천이 꽁꽁 **얼어서** 스케이트를 탔다.

## 결빙하다

結 맺을 결 | 氷 얼음 빙

물이 얼다.

예 눈이 내리면 도로가 **결빙하게** 되므로 더욱 조심해서 운전해야 한다.

한겨울에는 동물들이 겨울잠을 자요. 온도가 영하로 떨어져 물과 땅도 얼지요. 추위가 찾아오면 우리는 집에 난방을 하여 따뜻하게 해요.

 월 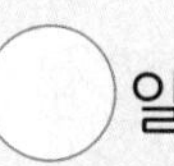일

국어

## 영하

零 떨어질 영 | 下 아래 하

온도가 섭씨* 0도 이하*인 상태.

예 내일은 **영하**로 뚝 떨어져 오늘보다 춥다고 하였다.

*섭씨: 온도 단위의 하나.

*이하: 일정한 기준보다 적거나 아래인 것.

반대말

## 영상

零 떨어질 영 | 上 위 상

섭씨 0도 이상*의 기온을 이르는 말.

예 눈이 온다고 하였지만 기온이 **영상**으로 올라 비가 왔다.

*이상: 수량, 정도 등이 일정한 기준보다 많거나 나음.

겨울

## 추위

추운 정도.

예 **추위**를 견디며 마침내 눈사람을 만들었다.

비슷한말

## 한기

寒 찰 한 | 氣 기운 기

찬 기운.

예 눈을 맞았더니 몸에서 **한기**가 느껴졌다.

국어

## 한겨울

추위가 한창*인 겨울.

예 **한겨울**에 눈이 많이 내렸다.

*한창: 어떤 일이 가장 활기 있고 왕성하게 일어나는 때.

한자 성어

## 엄동설한

嚴 엄할 엄 | 冬 겨울 동 | 雪 눈 설 | 寒 찰 한

눈 내리는 한겨울의 심한 추위.

예 **엄동설한**이 온지 모르고 옷을 얇게 입었다.

# 확인 학습

**1-3** **다음 낱말에 알맞은 뜻풀이를 찾아 선으로 이으세요.**

1 동면 •　　• ㉠ 추위가 한창인 겨울.

2 영상 •　　• ㉡ 섭씨 0도 이상의 기온을 이르는 말.

3 한겨울 •　　• ㉢ 동물이 겨울 동안 활동을 멈추고 땅속 깊이 들어간 상태로 있음.

**4-5** **다음 뜻풀이에 알맞은 낱말을 보기에서 찾아 빈칸에 쓰세요.**

보기: 겨울잠　난방　추위

4 추운 정도. (　　　)

5 실내의 온도를 높여 따뜻하게 하는 일. (　　　)

**6-7** **다음 낱말이 들어가기에 알맞은 문장을 찾아 선으로 이으세요.**

6 영하 •　　• ㉠ 날씨가 추워 집에서 (　　　)가 느껴졌다.

7 한기 •　　• ㉡ 한겨울은 낮에도 (　　　)의 기온에 머문다.

**8-9** **다음 뜻풀이와 초성을 보고 빈칸에 알맞은 낱말을 쓰세요.**

8 겨울에 동물이 활동을 멈추고 땅속 등에서 겨울을 보내는 일. (ㄱㅇㅈ) → ☐☐☐

9 실내의 온도를 낮춰 차게 하는 일. (ㄴㅂ) → ☐☐

**10** **다음 중 짝 지어진 낱말의 관계가 나머지와 다른 것의 기호를 쓰세요.**

㉠ 결빙하다 – 얼다　㉡ 난방 – 냉방　㉢ 영상 – 영하

▶ 정답 31쪽

**11-12** **다음 낱말의 비슷한말을 찾아 선으로 이으세요.**

**11** 동면 •      • ㉠ 겨울잠

**12** 추위 •      • ㉡ 한기

**13** **다음 대화를 보고 밑줄 친 한자 성어의 뜻풀이로 알맞은 것의 기호를 쓰세요.**

지윤: 학교 다녀오겠습니다!
어머니: 지윤아, <u>엄동설한</u>에 목도리도 하고 장갑도 끼는 게 좋지 않을까?

㉠ 눈 내리는 한겨울의 심한 추위.
㉡ 추위가 물러가고 곧 봄이 올 날씨.

**14** **다음 낱말을 모두 넣어 짧은 한 문장을 만들어 보세요.**

영하     얼다

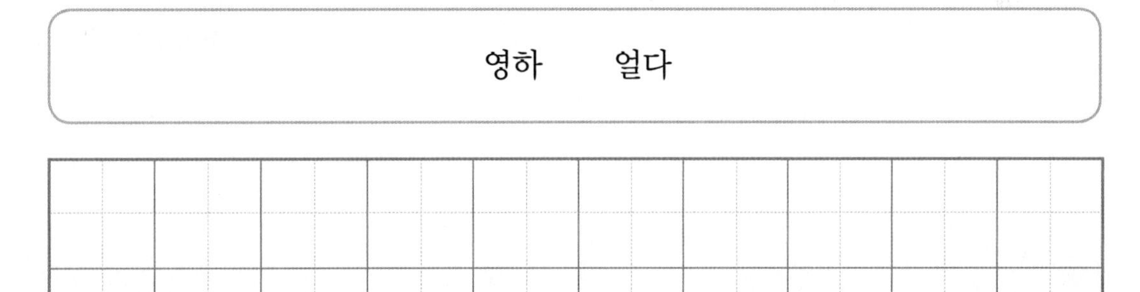

# 15회 불을 조심해요

교과 어휘

심화 어휘

겨울

## 건조하다

乾 마를 건 | 燥 마를 조

말라서 습기가 없거나 아주 적다.

예 감을 매달아 **건조하면** 곶감이 된다.

반대말

## 습하다

濕 축축할 습

메마르지 않고 물기가 많아 축축하다.

예 비가 와서 날씨가 **습하였다.**

국어

## 불

물질이 산소와 합쳐져 높은 온도로 빛과 열을 내면서 타는 것.

예 아버지께서 여러 색깔의 초들에 **불을** 붙이셨다.

관용어

## 불을 보듯 뻔하다

앞으로 일어날 일이 확실히 알 수 있게 아주 명백하다*.

예 바람이 많이 부니 날씨가 추울 게 **불을 보듯 뻔하였다.**

***명백하다:** 의심할 바 없이 아주 뚜렷하다.

국어

## 소방

消 꺼질 소 | 防 막을 방

불로 인한 재난*을 막고 불이 났을 때 불을 끔.

예 오늘 **소방** 훈련을 하였다.

***재난:** 뜻밖에 일어난 사고와 괴롭고 어려운 일.

비슷한말

## 진화

鎭 누를 진 | 火 불 화

불이 난 것을 끔.

예 소방관 아저씨들께서 화재 **진화**를 하셨다.

우리는 불을 **안전**하게 쓰고 **조심**해야 해요. 특히 **건조한** 계절에 **불**이 많이 나는데, **불**이 나면 **소방**을 위해 신고하고 주변에도 **알려요.**

  월  일 

## 안전하다

安 편안할 안 | 全 온전할 전

위험이 생기거나 사고가 날 걱정이 없다.

예 길을 건널 때는 천천히 손을 들고 건너야 **안전하다.**

반대말

## 위태하다

危 위태할 위 | 殆 위태할 태

마음을 놓을 수 없을 정도로 위험하다.

예 스케이트를 타는 모습을 보니 넘어질까 봐 **위태하였다.**

국어

## 알리다

사물이나 상황에 대한 정보*나 지식을 알게 하다.

예 손을 들어 내가 발표할 것을 **알렸다.**

***정보:** 관찰이나 측정을 통하여 수집한 자료를 실제 문제에 도움이 될 수 있도록 정리한 지식. 또는 그 자료.

비슷한말

## 신고하다

申 납 신 | 告 아뢸 고

일이나 상황에 대하여 자세히 이야기하여 알리다.

예 불이 났을 때는 119에 **신고해야** 한다.

국어

## 조심

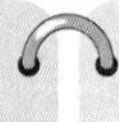

操 잡을 조 | 心 마음 심

잘못이나 실수가 없도록 말이나 행동에 마음을 씀.

예 가위를 사용할 때에는 항상 **조심**을 해야 한다.

비슷한말

## 주의

注 물댈 주 | 意 뜻 의

마음에 새겨 두고 조심함.

예 계단을 내려갈 때는 넘어지지 않도록 **주의**를 해야 한다.

# 확인 학습

**1-3** **다음 낱말의 뜻풀이로 알맞은 것에 ○표를 하세요.**

**1** 건조하다
- ㉠ 말라서 습기가 없거나 아주 적다. (　　)
- ㉡ 사물이나 상황에 대한 정보나 지식을 알게 하다. (　　)

**2** 신고하다
- ㉠ 위험이 생기거나 사고가 날 걱정이 없다. (　　)
- ㉡ 일이나 상황에 대하여 자세히 이야기하여 알리다. (　　)

**3** 위태하다
- ㉠ 메마르지 않고 물기가 많아 축축하다. (　　)
- ㉡ 마음을 놓을 수 없을 정도로 위험하다. (　　)

**4-5** **다음 뜻풀이에 알맞은 낱말을 찾아 선으로 이으세요.**

**4** 불로 인한 재난을 막고 불이 났을 때 불을 끔. •　　• ㉠ 소방

**5** 잘못이나 실수가 없도록 말이나 행동에 마음을 씀. •　　• ㉡ 조심

**6-7** **다음 빈칸에 들어갈 알맞은 낱말을 보기에서 찾아 쓰세요.**

보기: 습해서　　알려서　　위태해서

**6** 장마철에는 날씨가 (　　　　) 빨래가 잘 마르지 않는다.

**7** 친구에게 오늘 비가 온다고 (　　　　) 우산을 챙기게 하였다.

**8-9** **다음 뜻풀이와 초성을 보고 빈칸에 알맞은 낱말을 쓰세요.**

**8** 위험이 생기거나 사고가 날 걱정이 없다. (ㅇㅈ) → □□하다

**9** 마음에 새겨 두고 조심함. (ㅈㅇ) → □□

**10-11** **다음 밑줄 친 낱말과 바꾸어 쓸 수 있는 낱말을 찾아 선으로 이으세요.**

**10** 바닥이 미끄러워서 걸을 때 조심하였다. • • ㉠ 소방

**11** 바람이 많이 불어서 산불 진화가 어려웠다. • • ㉡ 주의

**12** **다음 중 짝 지어진 낱말의 관계가 반대말인 것의 기호를 쓰세요.**

㉠ 소방 – 진화 ㉡ 신고하다 – 알리다 ㉢ 안전하다 – 위태하다

**13** **다음을 보고 밑줄 친 관용어의 뜻풀이로 알맞은 것의 기호를 쓰세요.**

숙제를 하지 않아서 선생님께 혼날 게 불을 보듯 뻔하였다.

㉠ 남에게 큰 해를 입히다.
㉡ 앞으로 일어날 일이 확실히 알 수 있게 아주 명백하다.

**14** **다음 낱말을 모두 넣어 짧은 한 문장을 만들어 보세요.**

불 신고하다

걸린 시간 분 맞은 개수 개

# 16회 마음이 무거워요

국어

## 밉다

모양, 생김새, 하는 행동 등이 마음에 들지 않고 싫다.

예 부모님께서 동생만 예뻐하시는 것 같아 동생이 밉게 느껴졌다.

## 미운 아이 떡 하나 더 준다

속담

미운 사람일수록 잘해 주고 나쁜 마음이 쌓이지 않도록 해야 함.

예 미운 아이 떡 하나 더 준다고, 말썽쟁이 동생이지만 내가 잘 돌보니 동생과 나는 사이가 좋다.

국어

## 샘내다

자신보다 나은 사람을 미워하는 마음을 먹다.

예 짝꿍이 나보다 다른 친구와 더 친하게 지내는 모습을 보고 샘내는 마음이 생겼다.

## 시기하다

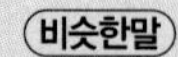

비슷한말

猜 시새울 시 | 忌 꺼릴 기

남이 잘되는 것을 욕심내고 미워하다.

예 놀부는 흥부를 시기하여 제비 다리를 일부러 부러뜨리고 고쳐 주었다.

국어

## 실망

失 잃을 실 | 望 바랄 망

일이 바라는 대로 되지 않아 마음이 불편해짐.

예 언니는 생각보다 성적이 나쁘게 나와서 실망을 하였다.

## 상심

비슷한말

傷 상처 상 | 心 마음 심

슬픔이나 걱정 등으로 마음이 힘듦.

예 할아버지께서 장난감이 망가져 상심을 한 동생을 달래 주셨다.

샘내서 친구가 미우면 우울해지고 외로우며 자신에게 실망할 수도 있어요. 조마조마한 마음보다는 좋은 마음을 가져야 해요.

  월  일

여름

## 외롭다

혼자 있거나 기댈 곳이 없어 쓸쓸하다.

예 아버지께 꾸중을 듣고 방에 혼자 있으니 **외로웠다**.

## 고독하다

孤 외로울 고 | 獨 홀로 독

세상에 혼자 있는 듯이 매우 외롭고 쓸쓸하다.

예 **고독하셨던** 이웃집 할아버지께서는 강아지를 키우고 나아지셨다.

국어

## 우울하다

憂 근심 우 | 鬱 막힐 울

근심스럽거나* 답답하여 활발함이 없다.

예 비가 와서 마음이 **우울해졌다**.

*근심스럽다: 보기에 마음이 놓이지 않아 속을 태우는 데가 있다.

## 쾌활하다

快 쾌할 쾌 | 活 살 활

밝고 환하고 활발하다*.

예 우리 가족은 모두 성격이 **쾌활하다**.

*활발하다: 생기 있고 힘차며 시원스럽다.

## 조마조마하다

닥쳐올 일이 걱정되어 마음을 놓을 수 없다.

예 뜨거운 그릇을 잡을 때는 데일까 봐 **조마조마하다**.

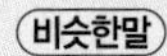

## 불안하다

不 아닐 불 | 安 편안할 안

마음이 편안하지 않다.

예 두발자전거를 처음 배울 때 넘어질까 봐 **불안하였다**.

**1-3** **다음 초성을 보고 낱말의 뜻풀이에 들어갈 알맞은 낱말을 빈칸에 쓰세요.**

1 고독하다 : 세상에 □□(ㅎㅈ) 있는 듯이 매우 외롭고 쓸쓸하다.

2 상심 : 슬픔이나 □□(ㄱㅈ) 등으로 마음이 힘듦.

3 우울하다 : 근심스럽거나 답답하여 □□□(ㅎㅂㅎ)이 없다.

**4-5** **다음 뜻풀이에 알맞은 낱말을 찾아 선으로 이으세요.**

4 닥쳐올 일이 걱정되어 마음을 놓을 수 없다. • • ㉠ 밉다

5 모양, 생김새, 하는 행동 등이 마음에 들지 않고 싫다. • • ㉡ 조마조마하다

**6-7** **다음 낱말이 들어가기에 알맞은 문장을 찾아 선으로 이으세요.**

6 불안하였다 • • ㉠ 친한 친구가 전학을 가서 (        ).

7 외로웠다 • • ㉡ 설거지를 도와드릴 때 혹시나 그릇을 깰까 봐 (        ).

**8-9** **다음 뜻풀이와 초성을 보고 빈칸에 알맞은 낱말을 쓰세요.**

8 자신보다 나은 사람을 미워하는 마음을 먹다. (ㅅㄴㄷ) → □□□

9 밝고 환하고 활발하다. (ㅋㅎ) → □□하다

**10** **다음 중 짝 지어진 낱말의 관계가 나머지와 다른 것의 기호를 쓰세요.**

㉠ 고독하다 – 외롭다　㉡ 상심 – 실망　㉢ 우울하다 – 쾌활하다

**11-12** **다음 밑줄 친 낱말과 바꾸어 쓸 수 있는 낱말을 보기에서 찾아 쓰세요.**

보기
고독해서 불안해서 시기해서

**11** 숨바꼭질을 하며 들킬까 봐 조마조마해서 떨렸다.

**12** 선물이 많은 나를 동생이 샘내서 나의 선물을 나누어 주었다.

**13** **다음 중 속담 '미운 아이 떡 하나 더 준다'의 상황으로 알맞은 것의 기호를 쓰세요.**

㉠ 무거운 짐을 들고 가시는 할머니를 도와드렸다.
㉡ 매일 나에게 장난치는 친구에게 초콜릿을 주었다.
㉢ 준비물을 가져오지 못한 짝에게 색연필을 빌려 주었다.

**14** **다음 낱말을 모두 넣어 짧은 한 문장을 만들어 보세요.**

실망 우울하다

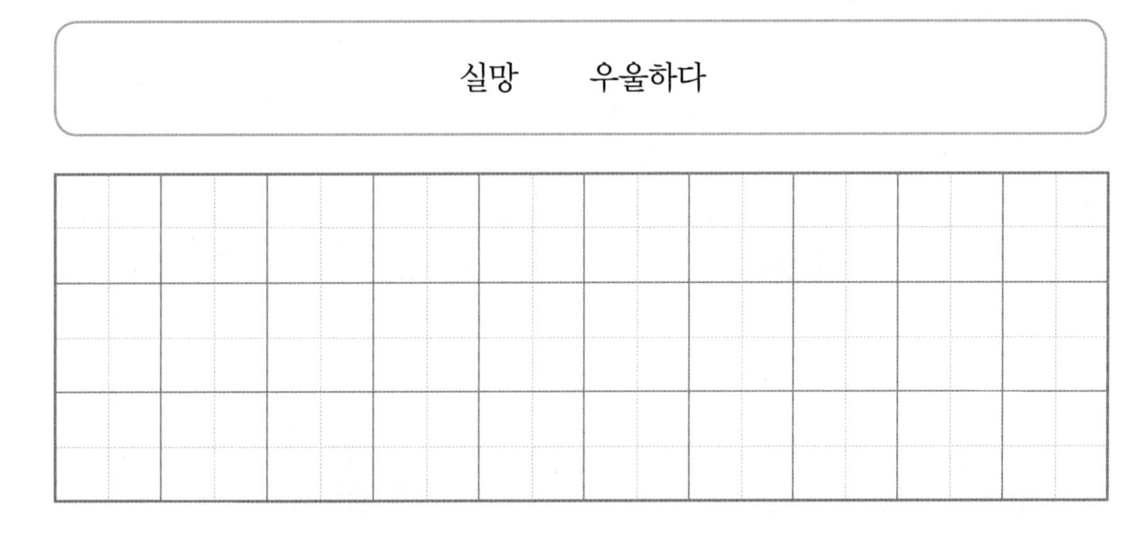

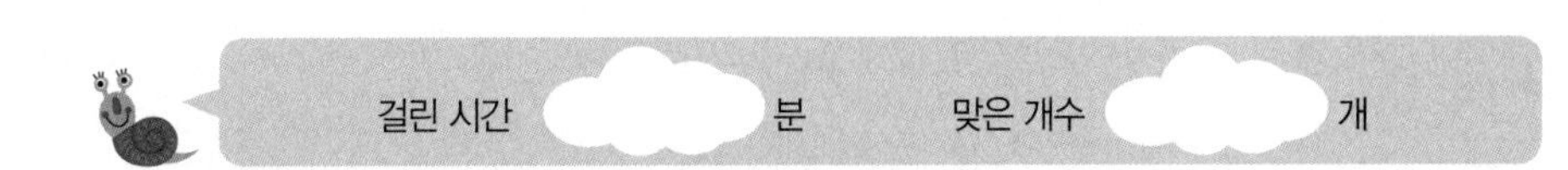

# 환경 오염이 심해요

## 걱정

안심이 되지 않아 마음을 태움.

예 학교 숙제가 어려워 어떻게 해야 할지 **걱정**이 되었다.

## 안도

安 편안할 안 | 堵 담 도

어떤 일이 잘 되어 마음을 놓음.

예 잃어버린 줄 알았던 연필이 가방 안에 있어서 **안도**의 한숨을 내쉬었다.

여름

## 내보내다

안에서 밖으로 나가게 하다.

예 강아지를 거실로 **내보내고** 나서 방에서 조용히 책을 읽었다.

## 배출하다

排 물리칠 배 | 出 날 출

안에서 밖으로 밀어 내보내다.

예 공장에서 오염된 물을 **배출하여** 강이 더러워졌다.

국어

## 심하다

甚 심할 심

정도가 지나치다.

예 올 여름은 더위가 많이 **심하여** 모두가 지쳤다.

## 과도하다

過 지날 과 | 度 법도 도

일정한 정도나 한도*를 넘어서 있다.

예 혹부리 영감은 욕심이 **과도하여** 도깨비에게 벌을 받았다.

*한도: 제한되어 정해진 정도.

**쓰레기**를 버리고 더러운 물을 **내보내면** 물이 **썩고** 자연을 **잃어요**.
항상 환경을 **걱정**하면서 **심하게** 오염되지 않도록 지켜야 하지요.

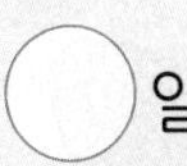
월 일

봄

## 썩다

균*의 작용으로 성질이 변하여 나쁜 냄새가 나고 형체가 뭉개지다.

예 이를 잘 닦지 않아 **썩었다**.

*균: 동식물에 붙어 생활하며 썩게 하거나 병 등을 일으키는 단세포 미생물.

## 부패하다

腐 썩을 부 | 敗 패할 패

물질이 변하여 나쁜 냄새가 나거나 독이 있는 물질이 생기다.

예 **부패한** 음식은 먹으면 안 된다.

국어

## 쓰레기

못 쓰게 되어 내다 버릴 물건이나 내다 버린 물건을 모두 이르는 말.

예 **쓰레기**를 아무데나 버리면 안 된다.

## 오물

汚 더러울 오 | 物 만물 물

더럽고 지저분한 물건.

예 물이 **오물** 때문에 오염되었다.

봄

## 잃다

더 이상 차지하거나 누리지 못하는 상태가 되다.

예 **잃을** 뻔한 나라를 다시 되찾았다. 직접 겪어보다.

## 말을 잃다

놀라거나 어이가 없어 말이 나오지 않다.

예 잘못을 하고도 사과를 하지 않는 사람을 보고 할 **말을 잃었다**.

# 확인 학습

**1-3 다음 낱말에 알맞은 뜻풀이를 찾아 선으로 이으세요.**

1 과도하다 • • ㉠ 일정한 정도나 한도를 넘어서 있다.

2 썩다 • • ㉡ 더 이상 차지하거나 누리지 못하는 상태가 되다.

3 잃다 • • ㉢ 균의 작용으로 성질이 변하여 나쁜 냄새가 나고 형체가 뭉개지다.

**4-5 다음 뜻풀이에 알맞은 낱말을 보기에서 찾아 빈칸에 쓰세요.**

보기: 배출하다 부패하다 심하다

4 정도가 지나치다. (　　　　)

5 안에서 밖으로 밀어 내보내다. (　　　　)

**6-7 다음 낱말이 들어가기에 알맞은 문장을 찾아 선으로 이으세요.**

6 걱정 • • ㉠ 대문 옆에 (　　　)이 있어서 깜짝 놀랐다.

7 오물 • • ㉡ 받아쓰기가 어려울까 봐 (　　　)을 하였다.

**8-9 다음 뜻풀이와 초성을 보고 빈칸에 알맞은 낱말을 쓰세요.**

8 못 쓰게 되어 내다 버릴 물건이나 내다 버린 물건을 모두 이르는 말. (ㅆㄹㄱ) → □□□

9 어떤 일이 잘 되어 마음을 놓음. (ㅇㄷ) → □□

10-11 다음 낱말의 비슷한말을 찾아 선으로 이으세요.

10 부패하다 • • ㉠ 과도하다

11 심하다 • • ㉡ 썩다

12 다음 중 짝 지어진 낱말의 관계가 나머지와 다른 것의 기호를 쓰세요.

㉠ 걱정 – 안도　㉡ 내보내다 – 배출하다　㉢ 쓰레기 – 오물

13 보기의 뜻풀이를 보고 관용어의 빈칸을 완성하세요.

보기 놀라거나 어이가 없어 말이 나오지 않다.

➔ 말을 □□

14 다음 낱말을 모두 넣어 짧은 한 문장을 만들어 보세요.

쓰레기　배출하다

걸린 시간 분　맞은 개수 개

# 18회 깨끗하게 청소해요

## 깨끗하다

가지런히 잘 정돈되어 말끔하다*.

예 어머니께서 화장실을 깨끗하게 청소하셨다.

*말끔하다: 티 없이 맑고 환하게 깨끗하다.

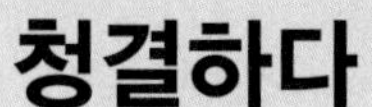

## 청결하다

비슷한말

淸 맑을 청 | 潔 깨끗할 결

맑고 깨끗하다.

예 손은 항상 청결하게 해야 한다.

국어

## 맡다

어떤 일에 대한 책임을 지고 담당하다.

예 이번 축구 대회에서는 내가 심판을 맡기로 하였다.

## 담당하다

비슷한말

擔 멜 담 | 當 마땅할 당

어떤 일을 맡다.

예 우리 반 대청소에서 나는 교실 청소를 담당하였다.

국어

## 먼지

눈에 보이지 않을 정도로 작고 가벼운 물질.

예 어제부터 공기 중에 먼지가 많아 마스크를 꼈다.

## 주머니 털어 먼지 안 나오는 사람 없다

속담

아무리 깨끗하고 착한 사람이라 하더라도 숨겨진 빈틈은 있음.

예 주머니 털어 먼지 안 나오는 사람 없다고, 모범생인 친구가 선생님께 혼나는 것을 보고 놀랐다.

우리는 집안일을 도와드려요. 맡은 곳에 먼지나 정리가 안 된 부분을 발견하면 깨끗하게 청소하지요.

월

일

국어

## 발견

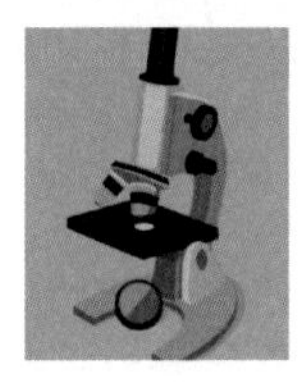

發 필 발 | 見 볼 견

미처 보지 못했거나 알려지지 않은 것들을 찾아냄.

예) 현미경으로 작은 것을 확대해서 볼 수 있어 새로운 것들을 **발견**할 수 있었다.

## 적발

摘 딸 적 | 發 필 발

숨겨져 있는 일이나 드러나지 아니한 것을 겉으로 드러나게 함.

예) 시험에서 답을 베끼다 **적발**이 되면 모두 다시 시험을 봐야 한다.

국어

## 정리

整 가지런할 정 | 理 다스릴 리

흐트러진 것을 한데 모으거나 치워서 질서 있게 함.

예) 책장에 있는 많은 책들을 가지런히 **정리**하였다.

## 정돈

整 가지런할 정 | 頓 조아릴 돈

어지럽게 흩어진 것을 바로잡고 가지런히 함.

예) 장난감 **정돈**을 잘하여 어머니께 칭찬을 받았다.

여름

## 집안일

살림을 꾸려 나가며 해야 하는 여러 가지 일.

예) 동생과 함께 **집안일**을 도와드렸다.

## 가사

家 집 가 | 事 일 사

살림을 꾸려 나가는 일.

예) 부모님께서는 **가사**를 함께 하신다.

1-3 **다음 낱말의 뜻풀이로 알맞은 것에 ○표를 하세요.**

1 담당하다
㉠ 맑고 깨끗하다. ( )
㉡ 어떤 일을 맡다. ( )

2 발견
㉠ 살림을 꾸려 나가는 일. ( )
㉡ 미처 보지 못했거나 알려지지 않은 것들을 찾아냄. ( )

3 정돈
㉠ 눈에 보이지 않을 정도로 작고 가벼운 물질. ( )
㉡ 어지럽게 흩어진 것을 바로잡고 가지런히 함. ( )

4-5 **다음 뜻풀이에 알맞은 낱말을 찾아 선으로 이으세요.**

4 살림을 꾸려 나가며 해야 하는 여러 가지 일. • • ㉠ 정리

5 흐트러진 것을 한데 모으거나 치워서 질서 있게 함. • • ㉡ 집안일

6-7 **다음 빈칸에 들어갈 알맞은 낱말을 보기 에서 찾아 쓰세요.**

보기
담당한　　청결한

6 방을 청소하여 □□□ 상태가 되었다.

7 이번 주에 내가 □□□ 일은 화분에 물을 주는 것이다.

8-9 **다음 뜻풀이와 초성을 보고 빈칸에 알맞은 낱말을 쓰세요.**

8 가지런히 잘 정돈되어 말끔하다. (ㄲㄲ) → □□하다

9 숨겨져 있는 일이나 드러나지 아니한 것을 겉으로 드러나게 함. (ㅈㅂ) → □□

**10-12** **다음 밑줄 친 낱말과 바꾸어 쓸 수 있는 낱말을 찾아 선으로 이으세요.**

| | | |
|---|---|---|
| **10** | 방이 많이 지저분하여 정리를 하였다. | ㉠ 가사 |
| **11** | 매일 하나씩 집안일을 도와드리기로 다짐하였다. | ㉡ 발견 |
| **12** | 큰 공장이 폐수를 바다에 버린 것이 적발되어 많은 벌금을 냈다. | ㉢ 정돈 |

**13** **보기의 뜻풀이를 보고 속담의 빈칸을 완성하세요.**

보기 아무리 깨끗하고 착한 사람이라 하더라도 숨겨진 빈틈은 있음.

→ 주머니 털어 ☐☐ 안 나오는 사람 없다

**14** **다음 낱말을 모두 넣어 짧은 한 문장을 만들어 보세요.**

집안일 맡다

걸린 시간 분 맞은 개수 개

# 19회 거짓말을 하면 안 돼요

## 거짓말

사실이 아닌 것을 사실처럼 꾸며서 말함.

예 학교에 가기 싫어서 아프다고 **거짓말**을 하고 계속 잤다.

## 거짓말을 밥 먹듯 하다

관용어

거짓말을 자주 하다.

예 양치기 소년은 **거짓말을 밥 먹듯 하여서**, 나중에 진짜 늑대가 나타나도 사람들이 도와주러 가지 않았다.

국어

## 되풀이

같은 말이나 행동을 자꾸 하거나 같은 일이 자꾸 일어남.

예 발표회에서 실수하지 않기 위해 **되풀이**를 하여 연습하였다.

## 반복

비슷한말

反 돌이킬 반 | 復 돌아올 복

같은 일을 되풀이함.

예 강아지에게 **반복** 훈련을 시켜 안 좋은 행동을 고쳤다.

국어

## 상황

狀 형상 상 | 況 하물며 황

일이 되어 가는 과정이나 형편*.

예 줄다리기를 지고 있는 **상황**이었지만 끝까지 포기하지 않았다.

*형편: 일이 되어가는 모양.

## 경우

비슷한말

境 지경 경 | 遇 만날 우

어떤 조건에 놓인 그때의 상황이나 형편.

예 이가 아픈 **경우**에는 빨리 치과에 가야 한다.

어떤 **상황**에 **처하면** 이를 **숨기기** 위해 **거짓말**을 하기도 해요.
하지만 **거짓말**을 **되풀이**할 수도 있으니 항상 **솔직하게** 말하도록 해요.

국어

## 솔직하다

率 거느릴 솔 | 直 곧을 직

거짓이나 숨김이 없고 바르다.

예 친구에게 친하게 지내자고 **솔직하게** 말하였다.

비슷한말

## 정직하다

正 바를 정 | 直 곧을 직

마음에 거짓이나 꾸밈이 없고 바르고 곧다.

예 나무꾼은 **정직하게** 행동하여 좋은 도끼들을 얻었다.

겨울

## 숨기다

남이 모르게 감추거나 드러내지 않다.

예 선생님께서 **숨기신** 종이를 찾으며 보물찾기 놀이를 하였다.

반대말

## 실토하다

實 열매 실 | 吐 토할 토

거짓 없이 사실대로 다 말하다.

예 친구와 싸운 것을 선생님께 사실대로 **실토하였다.**

가을

## 처하다

處 곳 처

어떤 처지*에 놓이다.

예 등산을 가서 조심하지 않으면 위험에 **처하게** 된다.

*처지: 당하고 있는 일의 형편.

비슷한말

## 당면하다

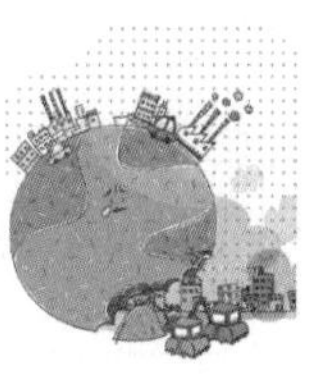

當 마땅할 당 | 面 낯 면

바로 눈앞에 당하다.

예 환경 오염은 우리가 **당면한** 중요하고 큰 과제이다.

1-3 **다음 초성을 보고 낱말의 뜻풀이에 들어갈 알맞은 낱말을 빈칸에 쓰세요.**

1 경우 : 어떤 조건에 놓인 그때의 □□(ㅅㅎ)이나 형편.

2 솔직하다 : □□(ㄱㅈ)이나 숨김이 없고 바르다.

3 처하다 : 어떤 □□(ㅊㅈ)에 놓이다.

4-5 **다음 뜻풀이에 알맞은 낱말을 찾아 선으로 이으세요.**

4 일이 되어 가는 과정이나 형편. • • ㉠ 거짓말

5 사실이 아닌 것을 사실처럼 꾸며서 말함. • • ㉡ 상황

6-7 **다음 낱말이 들어가기에 알맞은 문장을 찾아 선으로 이으세요.**

6 숨겼다 • • ㉠ 친구를 놀라게 하려고 몸을 (          ).

7 정직하였다 • • ㉡ 내 지우개를 자신이 잃어버렸다고 솔직하게 말한 친구는 (          ).

8-9 **다음 뜻풀이와 초성을 보고 빈칸에 알맞은 낱말을 쓰세요.**

8 바로 눈앞에 당하다. (ㄷㅁ) → □□하다

9 같은 말이나 행동을 자꾸 하거나 같은 일이 자꾸 일어남. (ㄷㅍㅇ) → □□□

10 **다음 중 짝 지어진 낱말의 관계가 나머지와 다른 것의 기호를 쓰세요.**

㉠ 당면하다 – 처하다   ㉡ 솔직하다 – 정직하다   ㉢ 숨기다 – 실토하다

▶ 정답 32쪽

**11-12** **다음 밑줄 친 낱말과 바꾸어 쓸 수 있는 낱말을 보기에서 찾아 쓰세요.**

보기

거짓말　　반복　　상황

**11** 되풀이를 하여 줄넘기 연습을 하였다. (　　　)

**12** 서로 양보를 하지 않아 친구와 다투는 경우가 생겼다. (　　　)

**13** **다음 대화를 보고 밑줄 친 관용어의 뜻풀이로 알맞은 것의 기호를 쓰세요.**

혜원: 지수가 나한테 또 거짓말을 했어.

주연: 거짓말을 밥 먹듯 하는구나. 지수가 또 거짓말을 하지 않도록 도울 수 있는 방법을 생각해 보자!

㉠ 거짓말을 자주 하다.

㉡ 거짓말을 처음 하다.

**14** **다음 낱말을 모두 넣어 짧은 한 문장을 만들어 보세요.**

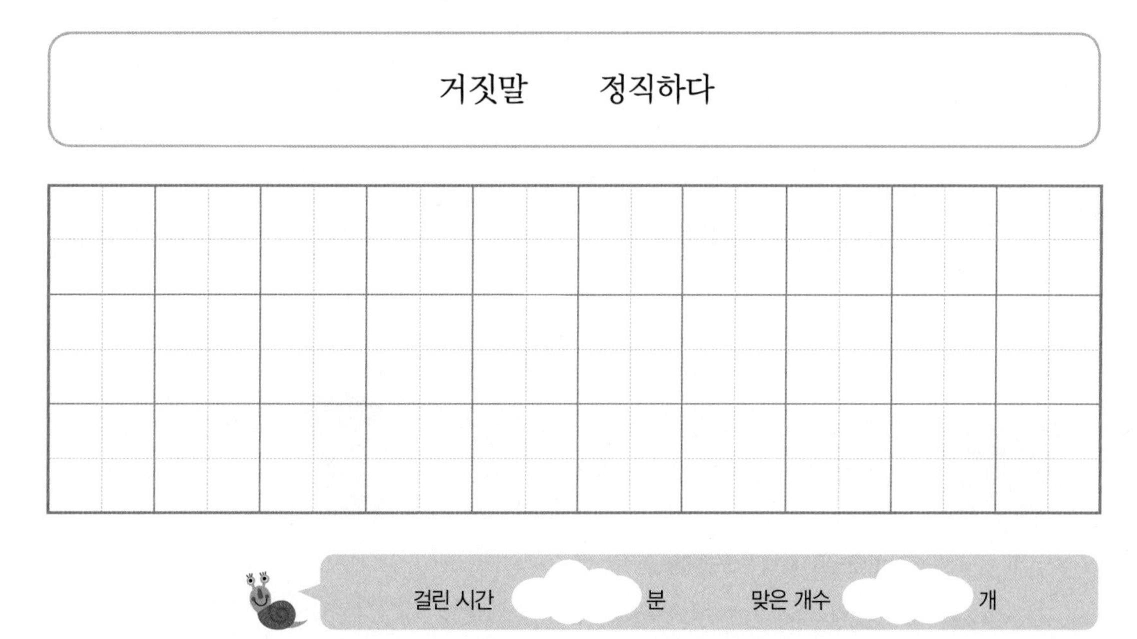

# 20회 약속을 지켜요

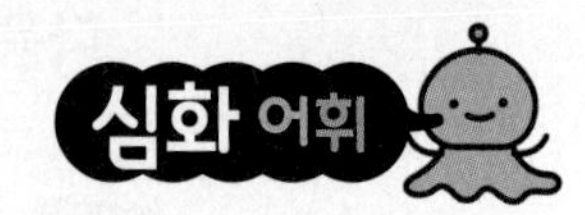

## 약속

約 맺을 약 | 束 묶을 속

다른 사람과 앞으로의 일을 어떻게 할 것인가 미리 정하여 둠.

예 이제 싸우지 말자고 동생과 굳게 **약속**하였다.

## 장부의 한 말이 천금같이 무겁다

속담

한번 한 약속은 꼭 지켜야 함.

예 **장부의 한 말이 천금같이 무겁다**고, 아버지께서는 약속은 중요한 것이니 꼭 지켜야 한다고 하셨다.

## 어기다

국어

약속, 규칙 등을 지키지 않고 거스르다*.

예 친구가 약속을 **어겨서** 화가 났다.

*거스르다: 따르지 않고 그에 반대되는 태도를 취하다.

## 위반하다

비슷한말

違 어길 위 | 反 돌이킬 반

약속, 법률 등을 지키지 않고 어기다.

예 교통법을 **위반하면** 벌금을 내야 한다.

## 잊어버리다

국어

기억하여 두어야 할 것을 한순간* 전혀 생각하여 내지 못하다.

예 놀이공원에서 배고픈 것도 **잊어버리고** 놀았다.

*한순간: 매우 짧은 동안.

## 잃어버리다

헷갈리는 말

가졌던 물건이 없어져 그것을 아주 갖지 아니하게 되다.

예 가방에 넣어 둔 지갑을 **잃어버렸다**.

약속은 어기지 말고 잘 지켜야 해요. 착각을 할 수도 있으니 약속을 잊어버리지 않도록 확실하게 기억해야 하지요.

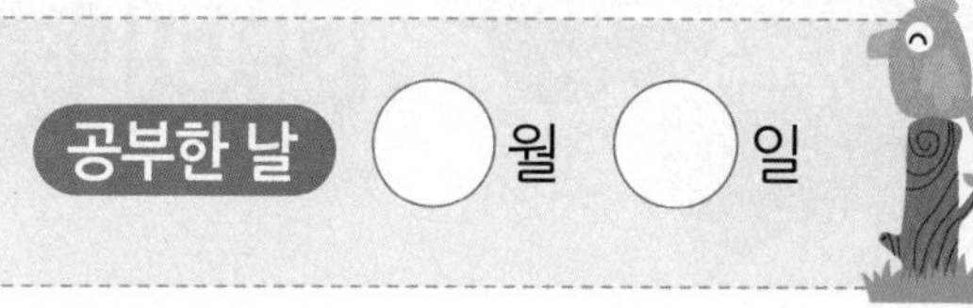




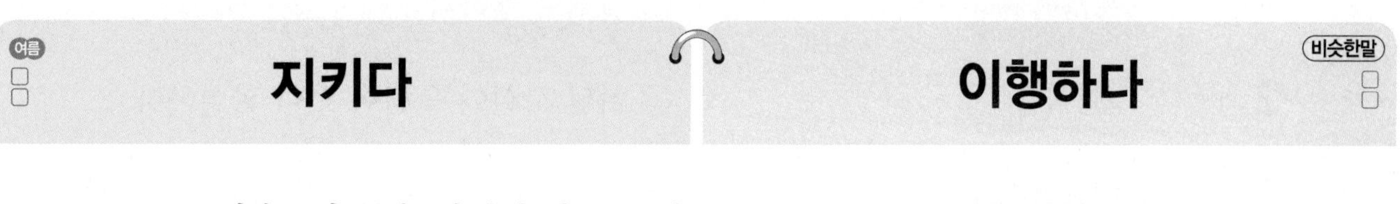

약속, 법 등을 어기지 않고 그대로 하다.

예 분리수거를 하자는 규칙을 잘 **지켜** 칭찬을 받았다.

履 신 이 | 行 다닐 행

실제*로 행하다.

예 책을 많이 읽겠다는 약속을 **이행하려고** 도서관에 갔다.

*실제: 있는 사실 그대로의 상태.

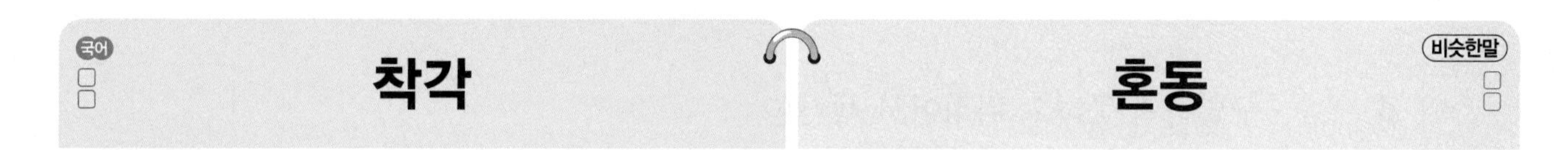

錯 섞일 착 | 覺 깨달을 각

어떤 것을 실제와 다르게 지각하거나 생각함.

예 약속 시간을 **착각**하여 한 시간이나 늦었다.

混 섞을 혼 | 同 같을 동

구별*하지 못하고 뒤섞어서 생각함.

예 산타 할아버지를 만난 것이 꿈인지 현실인지 **혼동**이 되었다.

*구별: 성질이나 종류에 따라 차이가 남.

국어

## 확실하다

비슷한말

## 분명하다

確 굳을 확 | 實 열매 실

조금도 어긋나는 일이 없이 그러하다.

예 이어달리기에서 우리 반이 이길 것이 **확실하였다**.

分 나눌 분 | 明 밝을 명

어떤 사실이 틀림이 없이 확실하다.

예 수업 시간에 나의 생각을 **분명하게** 발표하였다.

# 확인 학습

**1-3 다음 낱말에 알맞은 뜻풀이를 찾아 선으로 이으세요.**

1 분명하다 • • ㉠ 실제로 행하다.

2 어기다 • • ㉡ 어떤 사실이 틀림이 없이 확실하다.

3 이행하다 • • ㉢ 약속, 규칙 등을 지키지 않고 거스르다.

**4-5 다음 뜻풀이에 알맞은 낱말을 보기 에서 찾아 빈칸에 쓰세요.**

보기: 약속 혼동

4 구별하지 못하고 뒤섞어서 생각함. ☐☐

5 다른 사람과 앞으로의 일을 어떻게 할 것인가 미리 정하여 둠. ☐☐

**6-7 다음 낱말이 들어가기에 알맞은 문장을 찾아 선으로 이으세요.**

6 잃어버려서 • • ㉠ 우산을 챙긴다는 것을 ( ) 비를 맞았다.

7 잊어버려서 • • ㉡ 도서관 회원 카드를 ( ) 다시 발급을 받았다.

**8-9 다음 뜻풀이와 초성을 보고 빈칸에 알맞은 낱말을 쓰세요.**

8 어떤 것을 실제와 다르게 지각하거나 생각함. (ㅊㄱ) → ☐☐

9 조금도 어긋나는 일이 없이 그러하다. (ㅎㅅ) → ☐☐하다

**10-12** **다음 낱말의 비슷한말을 찾아 선으로 이으세요.**

| | | |
|---|---|---|
| **10** | 위반하다 • | • ㉠ 분명하다 |
| **11** | 지키다 • | • ㉡ 어기다 |
| **12** | 확실하다 • | • ㉢ 이행하다 |

**13** **다음 중 속담 '장부의 한 말이 천금같이 무겁다'의 상황으로 알맞은 것의 기호를 쓰세요.**

㉠ 동생에게 책을 읽어 준다고 하고는 다음 주로 미루었다.
㉡ 친구와 줄넘기를 하기로 하였지만 피곤해서 하지 않았다.
㉢ 매일 책을 읽자고 친구와 약속하고 하루도 빠짐없이 책을 읽었다.

**14** **다음 낱말을 모두 넣어 짧은 한 문장을 만들어 보세요.**

약속 지키다

걸린 시간 분 맞은 개수 개

# 21회 추억을 떠올려요

국어

## 간직

물건 등을 어떤 장소에 잘 간수* 하여 둠.

예) 사진첩에 **간직**을 해 둔 사진을 보았다.

***간수**: 보살피고 지키다.

비슷한말

## 소장

所 바 소 | 藏 감출 장

자기의 것으로 지니어 간직함.

예) 이모께서는 유명한 화가의 작품을 사서 **소장**하고 계시다.

여름

## 경험

經 경서 경 | 驗 시험 험

자신이 실제로 해 보거나 겪어 봄. 또는 거기서 얻은 지식 등.

예) 나는 겨울 방학에 눈썰매 타는 **경험**을 하였다.

반대말

## 상상

想 생각 상 | 像 모양 상

경험하지 않은 현상이나 사물을 마음속으로 그려 봄.

예) 하늘에 있는 별을 보며 별을 따는 **상상**을 해 보았다.

국어

## 그리워하다

사랑하여 몹시 보고 싶어 하다.

예) 친구를 **그리워하는** 마음을 담아 편지를 썼다.

비슷한말

## 동경하다

憧 그리워할 동 | 憬 깨달을 경

어떤 것을 간절히 그리워하여 그것만을 생각하다.

예) 어머니께서는 예전부터 시골에서 사는 것을 **동경하셨다**.

우리는 **경험**하였던 것들을 **간직**해요.
그리고 오래되어 **아련한 장면**을 **기억**하고 **그리워하기도** 하지요.

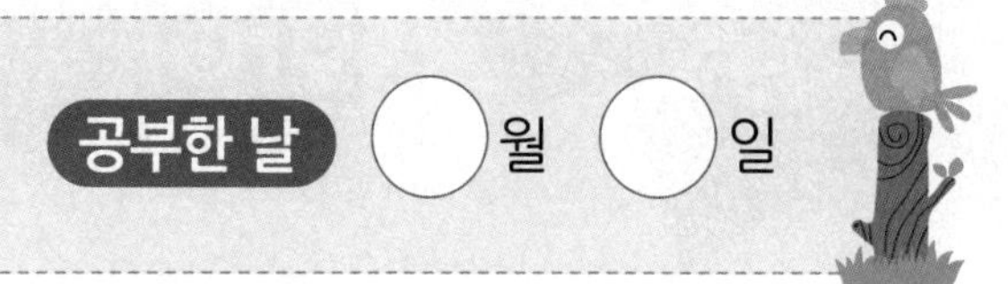




국어

## 기억

記 기록할 기 | 憶 생각할 억

마음속에 새겨진 느낌이나 경험을 간직하거나 도로 생각해 냄.

예▸ 봄나들이 갔던 일을 **기억**하려고 사진을 찍었다.

## 기억에서 사라지다

관용어

머리에 기억되었던 것이 잊히다.

예▸ 싸운 일은 **기억에서 사라진** 지 오래되었고 친구와 재미있게 놀았다.

국어

## 아련하다

똑똑히 분간*하기 힘들게 흐릿하다.

예▸ 아버지께서는 교복을 입고 학교에 가던 때가 **아련하다고** 하셨다.

*분간: 사물의 옳고 그름이나 그 정체를 가려서 앎.

## 희미하다

비슷한말

稀 드물 희 | 微 작을 미

분명하지 못하고 어렴풋하다*.

예▸ 어머니께서는 친구들과 놀던 때가 **희미하게** 생각난다고 하셨다.

*어렴풋하다: 기억이나 생각 등이 뚜렷하지 아니하고 흐릿하다.

여름

## 장면

場 마당 장 | 面 낯 면

어떤 장소에서 겉으로 드러난 면이나 벌어진 광경.

예▸ 내가 양을 처음 본 **장면**을 사진으로 남겼다.

## 광경

비슷한말

光 빛 광 | 景 경치 경

벌어진 일의 형편과 모양.

예▸ 공원에서 꽃잎이 바람에 흩날리는 **광경**이 멋있었다.

# 확인 학습

**1-3** **다음 낱말의 뜻풀이로 알맞은 것에 ○표를 하세요.**

**1** 기억
㉠ 벌어진 일의 형편과 모양. (  )
㉡ 마음속에 새겨진 느낌이나 경험을 간직하거나 도로 생각해 냄. (  )

**2** 동경하다
㉠ 분명하지 못하고 어렴풋하다. (  )
㉡ 어떤 것을 간절히 그리워하여 그것만을 생각하다. (  )

**3** 상상
㉠ 자기의 것으로 지니어 간직함. (  )
㉡ 경험하지 않은 현상이나 사물을 마음속으로 그려 봄. (  )

**4-5** **다음 뜻풀이에 알맞은 낱말을 찾아 선으로 이으세요.**

**4** 물건 등을 어떤 장소에 잘 간수하여 둠. • • ㉠ 간직

**5** 어떤 장소에서 겉으로 드러난 면이나 벌어진 광경. • • ㉡ 장면

**6-7** **다음 빈칸에 들어갈 알맞은 낱말을 보기 에서 찾아 쓰세요.**

보기
그리워하였다　　희미하였다

**6** 지우개를 어디에 두었는지 (　　　　).

**7** 방학 동안 학교에 가지 않아 반 친구들을 (　　　　).

**8-9** **다음 뜻풀이와 초성을 보고 빈칸에 알맞은 낱말을 쓰세요.**

**8** 자신이 실제로 해 보거나 겪어 봄. 또는 거기서 얻은 지식 등. (ㄱ ㅎ) → □□

**9** 똑똑히 분간하기 힘들게 흐릿하다. (ㅇ ㄹ) → □□하다

**10-11** **다음 밑줄 친 낱말과 바꾸어 쓸 수 있는 낱말을 찾아 선으로 이으세요.**

**10** 어제 보았던 눈 내리는 광경이 생각났다. • • ㉠ 소장

**11** 친구가 그려 준 그림을 잘 간직하고 있다. • • ㉡ 장면

**12** **다음 중 짝 지어진 낱말의 관계가 나머지와 다른 것의 기호를 쓰세요.**

㉠ 경험 – 상상 ㉡ 그리워하다 – 동경하다 ㉢ 아련하다 – 희미하다

**13** **다음을 보고 밑줄 친 관용어의 뜻풀이로 알맞은 것의 기호를 쓰세요.**

책 내용이 기억에서 사라져 어떤 책을 읽었는지 알 수 없었다.

㉠ 머리에 기억되었던 것이 잊히다.
㉡ 잊었던 것이 또렷하게 생각나다.

**14** **다음 낱말을 모두 넣어 짧은 한 문장을 만들어 보세요.**

기억 희미하다

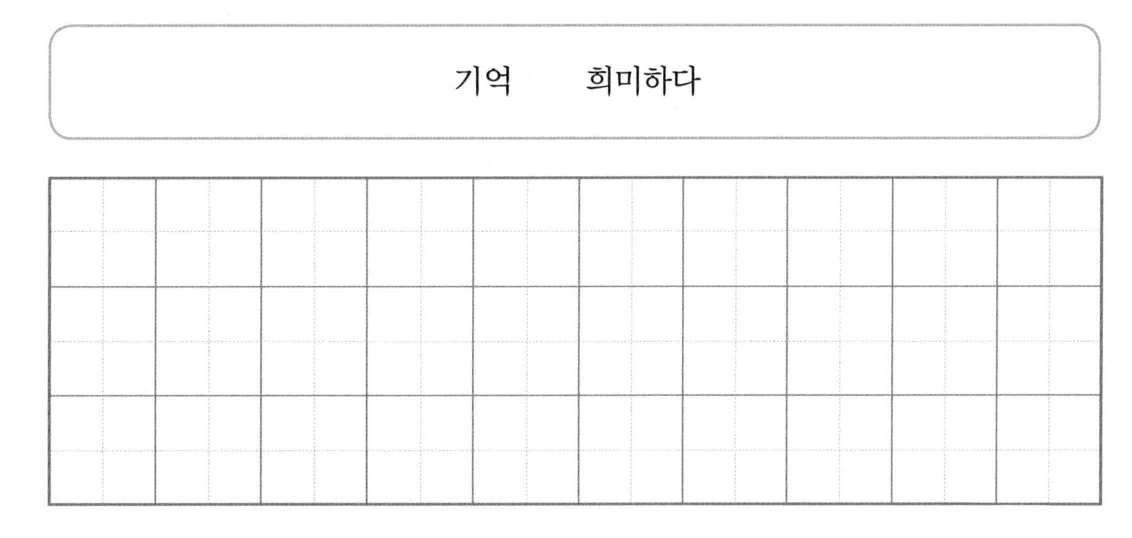

걸린 시간 분 맞은 개수 개

# 22회 전학을 왔어요

국어

## 고장

사람이 많이 사는 지방이나 지역.

예 할머니께서는 풍경이 예쁜 **고장**에서 사신다.

## 고장

故 옛 고 | 障 가로막을 장

기구나 기계가 제대로 움직이지 못하게 되는 기능상의 장애*.

예 체중계가 **고장**이 났다.

***장애:** 어떤 사물의 진행을 가로막아 기능을 하지 못하게 함. 또는 그런 일.

국어

## 되돌아보다

지나온 과정을 다시 돌아보다.

예 한 해를 **되돌아보고** 내년에는 운동을 더 열심히 해야겠다고 다짐하였다.

## 반추하다

反 돌이킬 반 | 芻 꼴 추

어떤 일을 되풀이하여 음미*하거나 생각하다.

예 삼촌께서는 군인 시절을 **반추하셨다**.

***음미:** 어떤 사물 등의 속 내용을 느끼거나 생각함.

가을

## 새롭다

지금까지 있은 적이 없다.

예 한번도 가 본 적 없는 **새로운** 길로 가려다가 길을 잃었다.

## 참신하다

斬 벨 참 | 新 새로울 신

새롭고 산뜻하다.

예 친구가 발표한 내용은 **참신하였다**.

다른 **고장**으로 이사하면 학교도 **옮겨** 새롭게 **시작**해요.
예전을 **되돌아보기도** 하지만 새 친구들이 **환영**해 주어 고마워요.

공부한 날  월 일

## 시작

始 비로소 시 | 作 지을 작

어떤 일이나 행동의 처음 단계를 이루거나 그렇게 함.

예 운동회에서 아버지와 함께 뛰기 **시작**하였다.

## 시작이 반이다

무슨 일이든지 일단 시작하면 일을 끝마치기는 어렵지 않음.

예 높아 보이는 산도 일단 오르기 시작하면 정상에 다다를 수 있으니 **시작이 반이다**.

겨울

## 옮기다

어떤 곳에서 다른 곳으로 움직여 자리를 바꾸게 하다.

예 음악 시간이 되어 교과서를 들고 음악실로 자리를 **옮겼다**.

## 이전하다

移 옮길 이 | 轉 구를 전

장소나 주소 등을 다른 데로 옮기다.

예 아버지의 회사가 **이전하여** 집에서 더 가까워졌다.

가을

## 환영

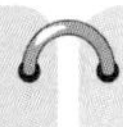

歡 기뻐할 환 | 迎 맞이할 영

오는 사람을 기쁜 마음으로 반갑게 맞음.

예 우리 가족은 할머니, 할아버지의 **환영**을 받았다.

## 환송

歡 기뻐할 환 | 送 보낼 송

떠나는 사람을 기쁜 마음으로 보냄.

예 졸업하는 6학년 언니를 위해 **환송** 행사를 하였다.

# 확인 학습

1-3 **다음 초성을 보고 낱말의 뜻풀이에 들어갈 알맞은 낱말을 빈칸에 쓰세요.**

1 이전하다 : 장소나 ☐☐(ㅈㅅ) 등을 다른 데로 옮기다.

2 참신하다 : 새롭고 ☐☐(ㅅㄸ)하다.

3 환영 : ☐☐(ㅇㄴ) 사람을 기쁜 마음으로 반갑게 맞음.

4-5 **다음 뜻풀이에 알맞은 낱말을 찾아 선으로 이으세요.**

4 떠나는 사람을 기쁜 마음으로 보냄. • • ㉠ 시작

5 어떤 일이나 행동의 처음 단계를 이루거나 그렇게 함. • • ㉡ 환송

6-7 **다음 낱말이 들어가기에 알맞은 문장을 찾아 선으로 이으세요.**

6 되돌아보고 • • ㉠ 집 앞에 있던 빵집이 (　　　　) 과일 가게가 생겼다.

7 이전하고 • • ㉡ 내가 잘못한 부분이 무엇인지 (　　　　) 친구에게 미안하다고 하였다.

8-9 **다음 뜻풀이와 초성을 보고 빈칸에 알맞은 낱말을 쓰세요.**

8 어떤 일을 되풀이하여 음미하거나 생각하다. (ㅂㅊ) → ☐☐하다

9 어떤 곳에서 다른 곳으로 움직여 자리를 바꾸게 하다. (ㅇㄱㄷ) → ☐☐☐

10 **다음 중 짝 지어진 낱말의 관계가 반대말인 것의 기호를 쓰세요.**

㉠ 옮기다 – 이전하다　　㉡ 참신하다 – 새롭다　　㉢ 환송 – 환영

**11-12** **보기의 밑줄 친 낱말 중 다음 뜻풀이에 알맞은 것을 찾아 기호를 쓰세요.**

보기
- 내가 청소기를 사용하다가 ㉠고장이 났다.
- 친구는 바다가 있는 ㉡고장으로 이사를 갔다.

**11** 사람이 많이 사는 지방이나 지역. (　　)

**12** 기구나 기계가 제대로 움직이지 못하게 되는 기능상의 장애. (　　)

**13** **보기의 뜻풀이를 보고 속담의 빈칸을 완성하세요.**

보기 무슨 일이든지 일단 시작하면 일을 끝마치기는 어렵지 않음.

→ 시작이 ☐ 이다

**14** **다음 낱말을 모두 넣어 짧은 한 문장을 만들어 보세요.**

시작　　새롭다

걸린 시간 　 분　　맞은 개수 　 개

# 23회 사이좋게 지내요

## 다투다

의견이나 이해의 대립*으로 서로 따지며 싸우다.

예 아이들이 같은 책을 서로 보겠다고 고집을 부리며 **다투었다**.

*대립: 의견 등이 서로 반대되거나 맞지 않음.

## 충돌하다

衝 찌를 충 | 突 부딪칠 돌

서로 맞부딪치거나 맞서다.

예 친구와 나는 같은 문제에 대해 생각이 달라 의견이 **충돌하였다**.

## 사과

謝 사례할 사 | 過 지날 과

자기의 잘못을 인정하고 용서를 빎.

예 내가 던진 눈에 친구가 세게 맞아서 미안하다고 **사과**를 하였다.

## 사죄

謝 사례할 사 | 罪 허물 죄

지은 죄나 잘못에 대하여 용서를 빎.

예 방송 사고가 나서 사회자가 **사죄**를 하였다.

## 실수

失 잃을 실 | 手 손 수

조심하지 아니하여 잘못함. 또는 그런 행위.

예 **실수**로 컵에 담긴 차를 엎질렀다.

## 결례

缺 이지러질 결 | 禮 예도 례

예의범절에서 벗어나는 행동을 함. 또는 예의를 갖추지 못함.

예 지하철에서 큰 소리로 통화하는 것은 **결례**이다.

친구를 이해하지 못해 다툴 때가 있어요.
실수를 사과하고 양보하면 우정은 이어질 수 있지요.

공부한 날 월 일

국어

## 양보

讓 사양할 양 | 步 걸음 보

자리, 물건 등을 사양하여 남에게 미루어 줌.

예▸ 다리가 불편한 아저씨께 자리를 **양보**해 드렸다.

비슷한말

## 사양

辭 말씀 사 | 讓 사양할 양

겸손*하여 받지 아니하거나 응하지 아니함. 또는 남에게 양보함.

예▸ 할머니께서 괜찮다며 **사양**을 하셨다.

*겸손: 남을 존중하고 자기를 내세우지 않는 태도가 있음.

국어

## 우정

友 벗 우 | 情 뜻 정

친구 사이의 정.

예▸ 할머니와 친구 분은 60년이 넘는 **우정**을 쌓아 오셨다.

한자 성어

## 지란지교

芝 지초 지 | 蘭 난초 란 | 之 갈 지 | 交 사귈 교

친구 사이의 맑고도 훌륭하며 귀중한 사귐.

예▸ **지란지교**라는 한자 성어는 친구의 소중함을 느끼게 해 준다.

국어

## 이해

理 다스릴 이 | 解 풀 해

남의 사정*을 잘 헤아려 너그러이 받아들임.

예▸ 친구가 늦은 까닭을 듣고 **이해**하였다.

*사정: 일의 형편이나 까닭.

반대말

## 오해

誤 그릇할 오 | 解 풀 해

그릇되게* 해석하거나 뜻을 잘못 앎.

예▸ 접시를 깨뜨렸다는 **오해**를 받았다.

*그릇되다: 어떤 일의 모양새가 맞지 아니하다.

# 확인 학습

**1-3** **다음 낱말에 알맞은 뜻풀이를 찾아 선으로 이으세요.**

1 사과 •

2 사양 •

3 이해 •

• ㉠ 자기의 잘못을 인정하고 용서를 빎.

• ㉡ 남의 사정을 잘 헤아려 너그러이 받아들임.

• ㉢ 겸손하여 받지 아니하거나 응하지 아니함. 또는 남에게 양보함.

**4-5** **다음 뜻풀이에 알맞은 낱말을 보기에서 찾아 빈칸에 쓰세요.**

보기
실수 양보 우정

4 조심하지 아니하여 잘못함. 또는 그런 행위. □□

5 자리, 물건 등을 사양하여 남에게 미루어 줌. □□

**6-7** **다음 낱말이 들어가기에 알맞은 문장을 찾아 선으로 이으세요.**

6 사과 •

7 이해 •

• ㉠ 동생과 싸우고 내가 먼저 (        )를 하였다.

• ㉡ 선생님께 숙제를 못한 까닭을 솔직하게 말씀드리니 (        )를 해 주셨다.

**8-9** **다음 뜻풀이와 초성을 보고 빈칸에 알맞은 낱말을 쓰세요.**

8 지은 죄나 잘못에 대하여 용서를 빎. (ㅅㅈ) → □□

9 서로 맞부딪치거나 맞서다. (ㅊㄷ) → □□하다

10-11 **다음 낱말의 비슷한말을 찾아 선으로 이으세요.**

10 사양 •　　　　• ㉠ 사과

11 사죄 •　　　　• ㉡ 양보

12 **다음 중 짝 지어진 낱말의 관계가 나머지와 다른 것의 기호를 쓰세요.**

㉠ 결례 – 실수　　㉡ 다투다 – 충돌하다　　㉢ 오해 – 이해

13 **다음 중 한자 성어 '지란지교'의 상황으로 알맞은 것의 기호를 쓰세요.**

㉠ 오빠와 나는 항상 사이좋게 잘 지낸다.
㉡ 우리를 위해 애써 주시는 담임 선생님께 항상 감사한 마음이 든다.
㉢ 1학년 때부터 같은 반인 소미와 어른이 되어서도 친구로 잘 지낼 것이다.

14 **다음 낱말을 모두 넣어 짧은 한 문장을 만들어 보세요.**

양보　　다투다

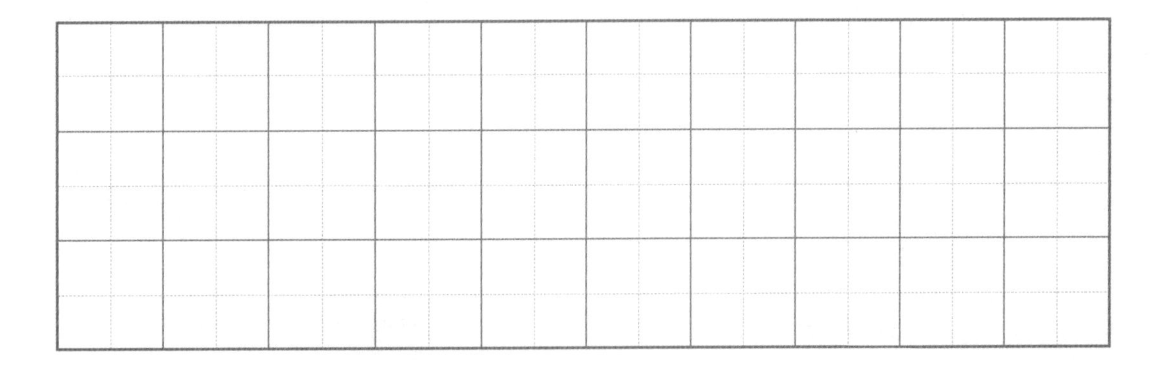

걸린 시간　　분　　맞은 개수　　개

# 24회 나는 꿈이 있어요

## 꿈꾸다

봄

속으로 어떤 일이 이루어지기를 바라거나 이루려고 힘을 쓰다.

예 나는 커서 훌륭한 과학자가 되기를 꿈꾼다.

## 염원하다

비슷한말

念 생각할 염 | 願 바랄 원

마음에 간절히* 생각하고 기대하며 바라다.

예 독립운동가는 일제 강점기에 나라의 광복을 염원하였다.

*간절히: 마음속에서 우러나와 바라는 정도가 매우 절실하게.

## 노력

국어

努 힘쓸 노 | 力 힘 력

목적을 이루기 위하여 몸과 마음을 다하여 애씀.

예 태권도 선수는 열심히 노력하여 마침내 우승을 하였다.

## 공든 탑이 무너지랴

속담

힘을 다하고 정성을 다하여 한 일은 그 결과가 반드시 헛되지* 아니함.

예 공든 탑이 무너지랴, 매일 배구 연습을 하여 우리 반이 배구 대회에서 우승하였다.

*헛되다: 아무 보람이나 이익이 없다.

## 반드시

국어

틀림없이 꼭.

예 자전거를 탈 때는 반드시 헬멧을 써야 한다.

## 필시

비슷한말

必 반드시 필 | 是 옳을 시

아마도 틀림없이.

예 숙제는 필시 해야 하는 것이다.

우리는 **꿈꾸는** 것을 **이루기** 위해 **노력**해요.
그 **장래 희망**을 위해 **노력**하면 **반드시 이룰** 수 있을 거예요.

공부한 날 ( )월 ( )일

24회

국어

## 이루다

뜻한 대로 되게 하다.

예) 나는 강아지를 키우고 싶다는 소원을 **이루었다**.

반대말

## 실패하다

失 잃을 실 | 敗 패할 패

어떤 일에 원하던 결과를 얻지 못하거나 완성하지 못하다.

예) 저녁에 운동하려던 계획은 비가 와서 **실패하였다**.

국어

## 장래

將 장수 장 | 來 올 래

다가올 앞날.

예) 나는 **장래**에 축구 선수가 되고 싶다.

반대말

## 과거

過 지날 과 | 去 갈 거

이미 지나간 때.

예) **과거**에는 동생과 자주 다투었지만 지금은 사이좋게 지낸다.

국어

## 희망

希 바랄 희 | 望 바랄 망

어떤 일을 이루거나 하기를 바람.

예) 새싹이 나올 거라는 **희망**을 가지고 씨앗을 심었다.

비슷한말

## 포부

抱 안을 포 | 負 짐질 부

마음속에 지니고 있는, 미래에 대한 계획이나 희망.

예) 삼촌께서는 취직을 하시면 놀이공원에 데리고 가겠다는 **포부**를 밝히셨다.

# 확인 학습

**1-3** **다음 낱말의 뜻풀이로 알맞은 것에 ○표를 하세요.**

**1** 노력
- ㉠ 어떤 일을 이루거나 하기를 바람. (　　)
- ㉡ 목적을 이루기 위하여 몸과 마음을 다하여 애씀. (　　)

**2** 반드시
- ㉠ 틀림없이 꼭. (　　)
- ㉡ 이미 지나간 때. (　　)

**3** 실패하다
- ㉠ 어떤 일에 원하던 결과를 얻지 못하거나 완성하지 못하다. (　　)
- ㉡ 속으로 어떤 일이 이루어지기를 바라거나 이루려고 힘을 쓰다. (　　)

**4-5** **다음 뜻풀이에 알맞은 낱말을 찾아 선으로 이으세요.**

**4** 다가올 앞날. • 　　• ㉠ 장래

**5** 마음속에 지니고 있는, 미래에 대한 계획이나 희망. • 　　• ㉡ 포부

**6-7** **다음 빈칸에 들어갈 알맞은 낱말을 보기에서 찾아 쓰세요.**

보기
꿈꾸셨다　　실패하셨다　　이루셨다

**6** 어머니께서는 초등학생 때 과학자가 되기를 (　　　　).

**7** 세종 대왕께서는 한글을 만듦으로써 백성을 위해 글자를 만들겠다는 꿈을 (　　　　).

**8-9** **다음 뜻풀이와 초성을 보고 빈칸에 알맞은 낱말을 쓰세요.**

**8** 마음에 간절히 생각하고 기대하며 바라다. (ㅇㅇ) → □□하다

**9** 아마도 틀림없이. (ㅍㅅ) → □□

**10-11** **다음 밑줄 친 낱말과 바꾸어 쓸 수 있는 낱말을 찾아 선으로 이으세요.**

**10** 나는 세계적인 음악가가 되겠다는 포부가 있다. •　　• ㉠ 반드시

**11** 사람이 많은 공공 장소에서는 필시 질서를 지켜야 한다. •　　• ㉡ 희망

**12** **다음 중 짝 지어진 낱말의 관계가 나머지와 다른 것의 기호를 쓰세요.**

㉠ 과거 – 장래　　㉡ 꿈꾸다 – 염원하다　　㉢ 실패하다 – 이루다

**13** **보기의 뜻풀이를 보고 속담의 빈칸을 완성하세요.**

보기 힘을 다하고 정성을 다하여 한 일은 그 결과가 반드시 헛되지 아니함.

→ 공든 ☐이 무너지랴

**14** **다음 낱말을 모두 넣어 짧은 한 문장을 만들어 보세요.**

노력　　이루다

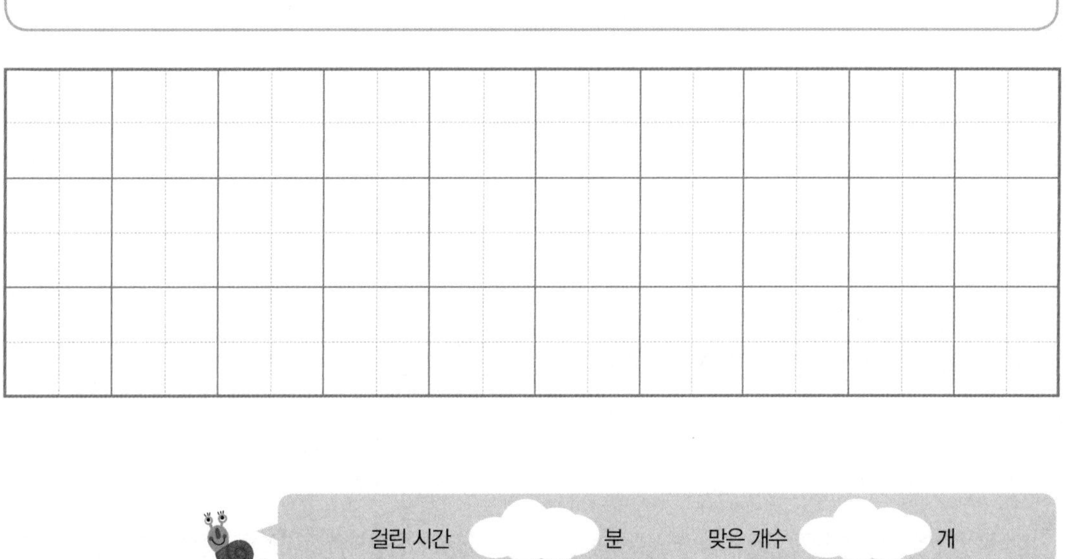

MEMO

어휘력 향상에 꼭 필요한 355개 필수 낱말 총정리

2

[어휘력 테스트 & 정답과 해설]

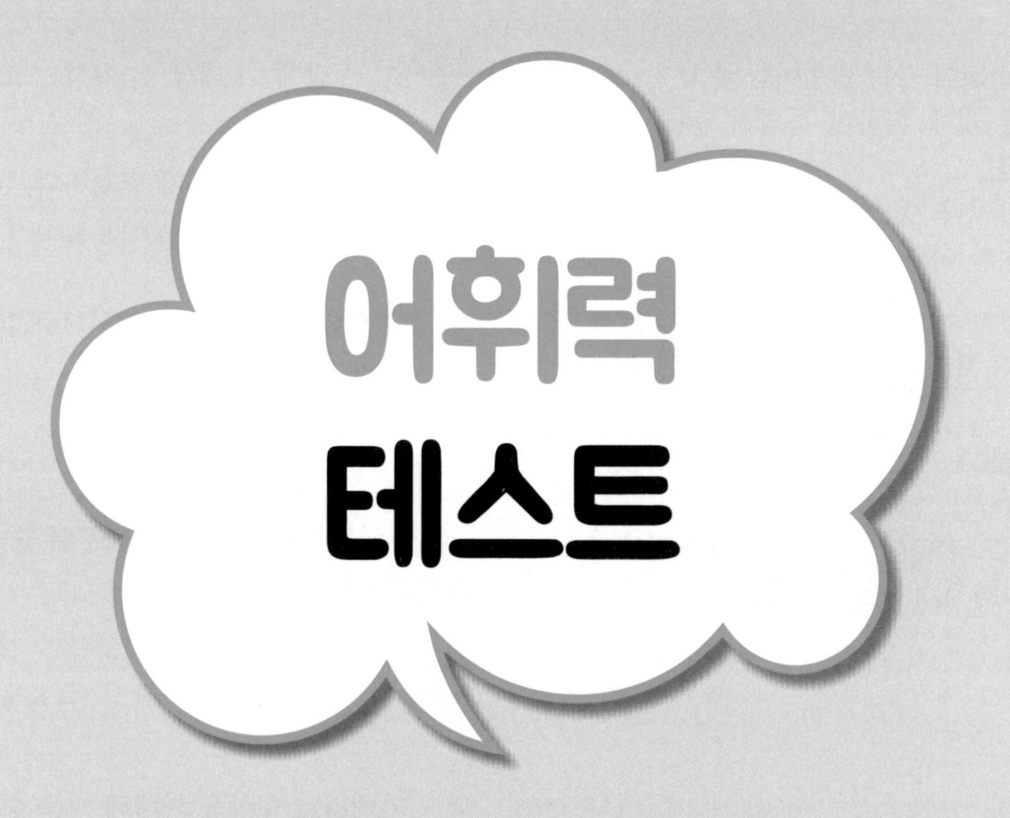
어휘력
테스트

# 01회 어휘력 테스트

**1-3 다음 밑줄 친 낱말과 속담의 뜻풀이를 보기에서 찾아 기호를 쓰세요.**

보기
㉠ 일이 되어 가는 방법이나 순서.
㉡ 다른 것에 비하여 특별히 눈에 뜨이는 점.
㉢ 수단이나 방법은 어찌 되었든 간에 목적만 이루면 됨.

1 얼룩말의 특징은 화려한 얼룩무늬이다.

2 사건을 밝혀 가는 과정이 흥미진진하였다.

3 모로 가도 서울만 가면 된다고 어떻게 올라가든 산 정상에 도착하면 된다.

**4-6 다음 초성과 뜻풀이를 보고 빈칸에 들어갈 알맞은 낱말을 쓰세요.**

4 ㄱ ㅊ : 사물이나 현상을 주의하여 자세히 살펴봄.
→ 나비를 보고 (          ) 결과를 공책에 적었다.

5 ㄷ ㄱ : 일의 차례를 따라 나아가는 과정.
→ 컴퓨터는 조립하는 (          )가 매우 복잡하다.

6 ㅈ ㅅ ㅎ ㄷ : 작거나 적은 부분까지 구체적이고 분명하다.
→ 국어사전에 있는 낱말 뜻은 (          ).

**7-8 다음 빈칸에 공통으로 들어갈 알맞은 낱말을 보기에서 찾아 쓰세요.**

보기
단계 대상 속성 조사

7 • 사건 (          )가 필요하다.
• (          ) 결과를 기록하였다.

8 • 가시는 장미의 (          )이다.
• 물은 투명하다는 (          )이 있다.

**9-10 다음 밑줄 친 낱말과 바꾸어 쓸 수 있는 낱말을 보기에서 찾아 쓰세요.**

보기
과정 관찰 목표물

9 카메라로 대상을 확대해 찍을 수 있다.

10 복잡한 일은 계획을 세우고 단계에 따라 해야 한다.

**11-12 다음 밑줄 친 부분과 의미가 통하는 낱말을 찾아 선으로 이으세요.**

11 날씨가 따뜻해지자 꽃이 피었다. • • ㉠ 결과

12 전교생을 상대로 선거를 하였다. • • ㉡ 대상

# 02회 어휘력 테스트

정답과 해설 34쪽

**1-3** **다음 초성과 뜻풀이를 보고 알맞은 낱말을 쓰세요.**

1 ㄱ ㅈ : 어떤 부분을 특히 강하게 주장하거나 두드러지게 함. (    )

2 ㄱ ㅍ : 여러 사람에게 널리 드러내어 알림. (    )

3 ㄱ ㅎ : 사물이나 현상을 바라보는 생각이나 입장. (    )

**4-5** **다음 낱말과 속담의 뜻풀이에 알맞은 말을 찾아 ○표를 하세요.**

4 고양이 쥐 생각: 속으로는 그렇지 않으면서, 겉으로만 (생각해, 행동해) 주는 척함.

5 협의: (하나, 둘) 이상의 사람이 서로 협력하여 의논함.

**6-7** **다음 뜻풀이를 가진 낱말을 보기에서 찾아 문장의 빈칸에 알맞게 쓰세요.**

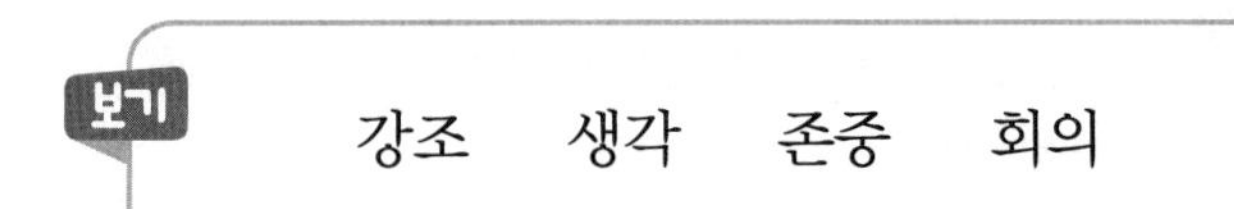


6 높이어 매우 소중하게 여김.
→ 친한 사람일수록 (    )이 필요하다.

7 여럿이 모여 의논함. 또는 그런 모임.
→ 중요한 문제는 (    )를 하여 결정해야 한다.

**8-10** **다음 낱말과 뜻풀이를 보고 뜻이 비슷한 낱말을 보기에서 찾아 쓰세요.**

보기

견해 공표 존중 협의

8 발표: 어떤 사실이나 결과, 작품 등을 세상에 널리 드러내어 알림. (    )

9 숭상: 높여 소중히 여김. (    )

10 의견: 어떤 사물 현상에 대하여 자기 마음에서 판단하여 가지는 생각. (    )

**11-12** **다음 빈칸에 들어갈 알맞은 낱말을 찾아 ○표를 하세요.**

11 (    )를 할 때는 큰 목소리로 또박또박 말해야 한다.
(발견, 발전, 발표)

12 동생이 받고 싶어 하는 생일 선물이 무엇일지 (    )을 하였다.
(생각, 생명, 생존)

걸린 시간 분 맞은 개수 개

**1-3** **다음 뜻풀이를 가진 낱말을 보기 에서 찾아 문장의 빈칸에 알맞게 쓰세요.**

계획 방법 의논

**1** 목적을 이루기 위해 취하는 방식.

→ 고장이 난 장난감을 고칠 ( )을 찾았다.

**2** 어떤 일에 대하여 서로 의견을 주고받음.

→ 소풍 갈 장소를 정하려고 함께 ( )을 하였다.

**3** 앞으로 할 일의 절차, 방법 등을 미리 헤아려 작성함. 또는 그 내용.

→ 가족 여행을 가기 위해 ( )을 자세하게 세웠다.

**4-6** **다음 낱말의 뜻풀이에 알맞은 말을 보기 에서 찾아 쓰세요.**

기준 다르게 마음속 선택

**4** 맞추다: 정해진 ( )과 일치하게 하다.

**5** 세우다: 계획, 결심, 자신감 등이 ( )에 이루어지게 하다.

**6** 정하다: 여럿 가운데 ( )하거나 판단하여 결정하다.

**7-9** **다음 문장의 밑줄 친 낱말과 바꾸어 쓸 수 있는 낱말에 ○표를 하세요.**

**7** 우리는 숙제에 대해 <u>의논</u>을 하였다.

(강의, 상의)

**8** 부산까지 갈 <u>방법</u>을 기차로 정하였다.

(수단, 수당)

**9** 나는 주말에 무엇을 할지 <u>계획</u>을 하였다.

(구상, 구조)

**10-11** **다음 낱말의 뜻풀이로 알맞은 것을 찾아 기호를 쓰세요.**

**10** 맞히다

㉠ 문제에 대한 답을 틀리지 아니하다.

㉡ 모습, 취향이 다른 것에 잘 어울리다.

**11** 선정하다

㉠ 남보다 앞서서 차지하다.

㉡ 여럿 가운데서 어떤 것을 뽑아 정하다.

**12** **보기 의 뜻풀이에 알맞은 관용어의 기호를 쓰세요.**

앞으로 닥쳐올 날의 목표를 마음에 품고 결심하다.

㉠ 귀담아 듣다

㉡ 뜻을 세우다

걸린 시간 분 맞은 개수 개

**1-3 다음 밑줄 친 낱말과 속담의 뜻풀이를 보기 에서 찾아 기호를 쓰세요.**

보기
㉠ 어떤 데에 끼지 못하고 떨어지거나 빠짐.
㉡ 하는 일이 잘되도록 격려하거나 도와줌.
㉢ 쉬운 일이라도 힘을 합하여 하면 훨씬 쉬움.

1 친구의 성원을 받아 내가 승리하였다.

2 최선을 다했지만 시험에서 탈락을 하였다.

3 우리 반은 대청소를 함께 하며 백지장도 맞들면 낫다는 것을 알게 되었다.

**4-6 다음 초성과 뜻풀이를 보고 빈칸에 들어갈 알맞은 낱말을 쓰세요.**

4 ㄷ ㄷ : 미리 정해 놓은 곳이나 시점에 닿아서 이름.
→ 집에 (          )를 하자마자 비가 내렸다.

5 ㅇ ㅌ : 어떤 범위나 대열 등에서 벗어남.
→ 놀이동산에서 혼자 (          )을 하는 바람에 길을 잃을 뻔하였다.

6 ㅌ ㄱ : 해당 기준이나 조건에 맞아 인정되거나 합격함.
→ 우리는 예선을 (          )하여 결승에 진출하였다.

**7-8 다음 빈칸에 공통으로 들어갈 알맞은 낱말을 보기 에서 찾아 쓰세요.**

보기
도착 예선 응원 참가

7
- 제주도에 (          )하였다.
- (          )한 버스에 올라탔다.

8
- 축제에 (          )하였다.
- (          )에 의미를 두었다.

**9-10 다음 밑줄 친 낱말과 반대인 낱말을 보기 에서 찾아 쓰세요.**

보기
결승 이탈 탈락 협동

9 달리기 대회의 예선에 나갔다.

10 시험에 통과를 하여 자격증을 땄다.

**11-12 다음 밑줄 친 부분과 의미가 통하는 낱말을 찾아 선으로 이으세요.**

11 우리는 서로 마음과 힘을 합하여 마당을 청소하였다. • • ㉠ 응원

12 사람들은 태극기를 흔들며 선수들이 힘을 낼 수 있도록 도왔다. • • ㉡ 협동

걸린 시간 분 맞은 개수 개

# 05회 어휘력 테스트

**1-3 다음 초성과 뜻풀이를 보고 알맞은 낱말을 쓰세요.**

1 ㄱ ㄹ ㅂ : 가늘게 내리는 비로, 이슬비보다는 조금 굵음. (　　)

2 ㄱ ㅇ : 대기의 온도. (　　)

3 ㅇ ㄱ : 일정한 지역에서 나타나는 그날그날의 기상 상태. (　　)

**4-5 다음 낱말과 속담의 뜻풀이에 알맞은 말을 찾아 ○표를 하세요.**

4 가랑비에 옷 젖는 줄 모른다: 아무리 작은 것이라도 그것이 (반복되면, 반사되면) 무시하지 못할 정도로 크게 됨.

5 화창하다: 날씨나 하늘이 (맑고, 흐리고) 따뜻하다.

**6-7 다음 뜻풀이를 가진 낱말을 보기에서 찾아 문장의 빈칸에 알맞게 쓰세요.**

보기: 가랑비　날씨　쌀쌀하다　음산하다

6 날씨가 흐리고 으스스하다.
→ 비가 와서 (　　).

7 비, 구름, 기온 등의 변화에 따른 공기의 상태.
→ (　　)가 좋아야 소풍을 갈 수 있다.

**8-10 다음 낱말과 뜻풀이를 보고 뜻이 비슷한 낱말을 보기에서 찾아 쓰세요.**

보기: 기온　냉랭하다　눈부시다　화창하다

8 수은주: 수은 온도계나 기압계의 유리관에 수은이 채워진 부분. (　　)

9 쌀쌀하다: 춥게 느껴질 정도로 차다. (　　)

10 황홀하다: 눈이 부시어 어릿어릿할 정도로 화려하다. (　　)

**11-12 다음 빈칸에 들어갈 알맞은 낱말을 찾아 ○표를 하세요.**

11 (　　) 날씨 때문에 기침과 콧물이 나왔다.
(쌀쌀한, 쓸쓸한, 씁쓸한)

12 동해 바다에서 아름답고 (　　) 해돋이를 보았다.
(황당한, 황량한, 황홀한)

걸린 시간 　분　맞은 개수 　개

# 06회 어휘력 테스트

정답과 해설 35쪽

**1-3 다음 뜻풀이를 가진 낱말을 보기 에서 찾아 문장의 빈칸에 알맞게 쓰세요.**

보기
가볍다 목적지 쉬다 외출

1 옷차림이나 마음 등이 가뿐하다.
→ 공원에 산책을 나갈 때에는 옷차림이 (　　　　).

2 하던 일을 멈추고 몸을 편안히 두다.
→ 고구마를 캐다가 시원한 물을 마시며 그늘에서 (　　　　).

3 집이나 회사 등에서 일을 보러 밖에 나감.
→ 맛있는 음식을 사기 위해 (　　　　)을 하였다.

**4-6 다음 낱말의 뜻풀이에 알맞은 말을 보기 에서 찾아 쓰세요.**

보기
걸어서 근본 목적지
사물 차서

4 걸어가다: 목적지를 향하여 발로 (　　　　) 나아가다.

5 중심: (　　　　)의 한가운데.

6 행선지: 떠나가는 (　　　　).

**7-9 다음 문장의 밑줄 친 낱말과 바꾸어 쓸 수 있는 낱말에 ○표를 하세요.**

7 집까지 <u>걸어가려면</u> 시간이 오래 걸린다.
(보행하려면, 질주하려면)

8 <u>외출</u>을 하기 위해 필요한 물건을 챙겼다.
(출발, 출타)

9 <u>행선지</u>로 가기 위해 예약한 버스를 탔다.
(목적지, 출발지)

**10-11 다음 낱말의 뜻풀이로 알맞은 것을 찾아 기호를 쓰세요.**

10 경쾌하다
㉠ 비중이나 책임 등이 크거나 중대하다.
㉡ 움직임이나 모습, 기분 등이 가볍고 상쾌하다.

11 주변
㉠ 목적으로 삼는 곳.
㉡ 어떤 대상의 둘레.

**12 보기 의 뜻풀이에 알맞은 속담의 기호를 쓰세요.**

보기
뜻하지 아니한 기회를 만나 자기가 하려고 하던 일을 이룸.

㉠ 넘어진 김에 쉬어 간다
㉡ 하늘이 무너져도 솟아날 구멍이 있다

걸린 시간 　　　분 　맞은 개수 　　　개

# 07회 어휘력 테스트

**1-3 다음 밑줄 친 낱말과 속담의 뜻풀이를 보기에서 찾아 기호를 쓰세요.**

보기
㉠ 몸이나 정신이 튼튼함.
㉡ 기운차고 한창 좋을 때 더 힘을 가함.
㉢ 일정한 조건이나 환경 등에 맞추어 잘 어울림.

1 전학 간 학교에서 빨리 <u>적응</u>을 하기 위해 노력하였다.

2 <u>건강</u>을 지키기 위해서는 짜거나 달게 먹지 말아야 한다.

3 <u>달리는 말에 채찍질</u>을 한다고 오늘부터 운동량을 늘리기로 하였다.

**4-6 다음 초성과 뜻풀이를 보고 빈칸에 들어갈 알맞은 낱말을 쓰세요.**

4 ㄱ ㅎ : 한쪽으로 기울거나 치우치지 않고 고른 상태.
→ 공부와 휴식 사이에서 (　　　)을 잡는 것이 중요하다.

5 ㅎ ㄷ : 몸을 움직여 행동함.
→ 나는 학교에서 미술부 (　　　)을 한다.

6 ㅎ ㅇ : 힘이나 기운이 없고 약함.
→ 몸이 (　　　)하여 건강해지기 위해 운동을 시작하였다.

**7-8 다음 빈칸에 공통으로 들어갈 알맞은 낱말을 보기에서 찾아 쓰세요.**

보기
달리기　작정　적응　활동

7 • 요리를 할 (　　　)이다.
• 공부할 (　　　)으로 도서관에 갔다.

8 • 나의 취미는 (　　　)이다.
• (　　　)를 해 더욱 건강해졌다.

**9-10 다음 밑줄 친 낱말과 바꾸어 쓸 수 있는 낱말을 보기에서 찾아 쓰세요.**

보기
동화　운동　평형　허약

9 동생은 처음 간 유치원에 <u>적응</u>을 잘했다.

10 사다리 위에서는 <u>균형</u>을 잘 잡아야 한다.

**11-12 다음 밑줄 친 부분과 의미가 통하는 낱말을 찾아 선으로 이으세요.**

11 할머니께서는 <u>건강을 위해 몸을 굳세게 만드신다.</u> • 　　• ㉠ 결심

12 누나는 이번 해에 <u>살을 빼기로 마음을 굳게 먹었다.</u> • 　　• ㉡ 운동

**1-3 다음 초성과 뜻풀이를 보고 알맞은 낱말을 쓰세요.**

1 ㄷ ㅊ : 혼자서 노래를 부름. (　　　)

2 ㅂ ㅈ : 음악이 계속되는 시간을 헤아리는 기본 단위. (　　　)

3 ㅈ ㄱ ㄷ : 즐겁게 누리다. (　　　)

**4-5 다음 낱말과 관용어의 뜻풀이에 알맞은 말을 찾아 ○표를 하세요.**

4 감정을 사다: 남의 감정을 (마음, 생각)에 들지 않거나 좋지 않게 만들다.

5 무용: 음악에 맞추어 힘찬 (목소리, 움직임)으로 감정 등을 표현함.

**6-7 다음 뜻풀이를 가진 낱말을 보기에서 찾아 문장의 빈칸에 알맞게 쓰세요.**

보기: 감정　선율　합창

6 여러 사람이 목소리를 맞추어서 노래를 부름.
→ (　　　) 대회를 위해 노래 연습을 하였다.

7 소리의 높낮이가 길이나 리듬과 어울려 나타나는 음의 흐름.
→ 피아노의 (　　　)이 감동을 주었다.

**8-10 다음 낱말과 뜻풀이를 보고 뜻이 비슷한 낱말을 보기에서 찾아 쓰세요.**

보기: 감정　무용　박자　선율

8 리듬: 음의 길고 짧음이나 강약 등이 반복될 때의 그 규칙적인 음의 흐름. (　　　)

9 음악: 박자, 가락 등을 어울리게 하여 목소리나 악기로 감정 등을 나타내는 예술. (　　　)

10 춤: 음악에 맞추거나 흥에 겨워 팔다리와 몸을 움직이는 동작. (　　　)

**11-12 다음 빈칸에 들어갈 알맞은 낱말을 찾아 ○표를 하세요.**

11 언니는 (　　　)이 풍부해서 눈물이 많다.
(감량, 감점, 감정)

12 동생이 학예회에서 춘 (　　　)은 멋있었다.
(숨, 잠, 춤)

# 09회 어휘력 테스트

**1-3 다음 뜻풀이를 가진 낱말을 보기에서 찾아 문장의 빈칸에 알맞게 쓰세요.**

보기
감상　발간　책　현명

1 지혜롭고 일을 제대로 앎.
→ 높은 자리에 오를수록 (　　　)이 필요하다.

2 종이를 여러 장 겹쳐서 엮은 것.
→ 도서관에서는 (　　　)을 빌리고 반납할 수 있다.

3 책이나 신문, 잡지 등을 만들어 냄.
→ 교장 선생님의 자서전 (　　　)을 축하드렸다.

**4-6 다음 낱말의 뜻풀이에 알맞은 말을 보기에서 찾아 쓰세요.**

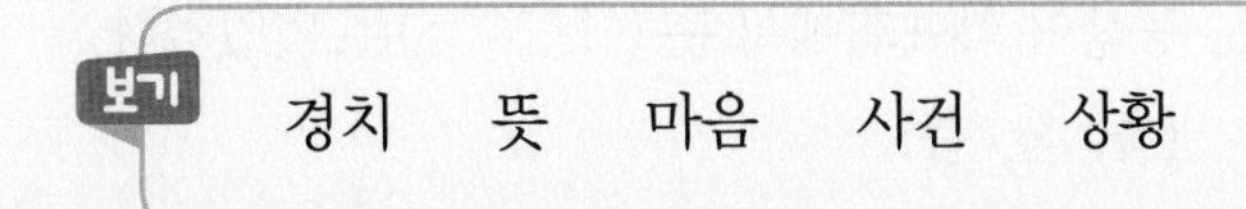
보기
경치　뜻　마음　사건　상황

4 소감: (　　　)에 느낀 바.

5 읽다: 글을 보고 거기에 담긴 (　　　)을 헤아려 알다.

6 중심인물 : 어떤 (　　　)이나 단체의 중심이 되는 인물.

**7-9 다음 문장의 밑줄 친 낱말과 바꾸어 쓸 수 있는 낱말에 ○표를 하세요.**

7 <u>책을 읽은</u> 다음 독후감을 썼다.
(독립한, 독서한)

8 어제 연극을 본 <u>소감</u>을 발표하였다.
(감상, 감정)

9 유명 시인의 시집 <u>발간</u> 기념회가 열렸다.
(출석, 출판)

**10-11 다음 낱말의 뜻풀이로 알맞은 것을 찾아 기호를 쓰세요.**

10 주인공
㉠ 책이나 그림 등을 인쇄하여 세상에 내놓음.
㉡ 연극, 소설 등에서 사건의 중심이 되는 인물.

11 지혜
㉠ 마음속에서 일어나는 느낌이나 생각.
㉡ 사물을 제대로 알고 잘 대처할 방법을 생각해 내는 능력.

**12 보기의 뜻풀이에 알맞은 관용어의 기호를 쓰세요.**

보기
현실과 부딪치지 않고 책임감 없이 한 자리만 맴돌거나 글자만 보다.

㉠ 머리를 싸매다
㉡ 책상머리나 지키다

걸린 시간 　　분　맞은 개수 　　개

정답과 해설 36쪽

**1-3 다음 밑줄 친 낱말과 속담의 뜻풀이를 보기에서 찾아 기호를 쓰세요.**

보기
㉠ 사람의 언어를 적는 데 사용하는 기호.
㉡ 아무도 안 듣는 곳에서도 말조심해야 함.
㉢ 삶을 풍요롭게 하기 위한 것으로, 언어, 예술 등.

1 세종대왕은 백성들을 위해 문자를 만드셨다.

2 판소리와 같은 우리 문화를 소중하게 생각해야 한다.

3 엄마께서 '낮말은 새가 듣고 밤말은 쥐가 듣는다'라는 말을 잊지 말라고 하셨다.

**4-6 다음 초성과 뜻풀이를 보고 빈칸에 들어갈 알맞은 낱말을 쓰세요.**

4 ㅁ ㅈ : 오랜 시간 함께 생활하며 언어와 문화의 공통점을 바탕으로 만들어진 집단.
→ 이순신 장군은 (　　　)의 영웅이시다.

5 ㅇ ㅇ : 생각, 느낌 등을 나타내거나 전달하는 데에 쓰는 음성, 문자 등의 수단.
→ 한글은 높임말이 있는 (　　　)이다.

6 ㅌ ㄹ ㄷ : 맞지 않고 어긋나다.
→ 문제를 잘못 풀어서 (　　　).

**7-8 다음 빈칸에 공통으로 들어갈 알맞은 낱말을 보기에서 찾아 쓰세요.**

보기
글자　다르다　문화　틀리다

7 • 나는 발의 크기가 (　　　).
• 나무의 높이가 서로 (　　　).

8 • 동생이 (　　　)를 배운다.
• (　　　)를 예쁘게 쓰고 싶다.

**9-10 다음 밑줄 친 낱말과 바꾸어 쓸 수 있는 낱말을 보기에서 찾아 쓰세요.**

보기
동족　문물　문자

9 한국 문화가 세계적으로 유명해지고 있다.

10 우리 민족은 추석에 송편을 만들어 먹는다.

**11-12 다음 밑줄 친 부분과 의미가 통하는 낱말을 찾아 선으로 이으세요.**

11 친구와 나는 몸무게가 서로 같지 않다. •　　• ㉠ 공통점

12 나와 쌍둥이인 동생은 성격과 외모가 두루 같다. •　　• ㉡ 다르다

**1-3 다음 초성과 뜻풀이를 보고 알맞은 낱말이나 한자 성어를 쓰세요.**

1 ㅈ ㅊ ㅈ : 음력 팔월에 있는 명절로, 추석을 달리 이르는 말. (　　　)

2 ㅍ ㅅ : 풍속과 습관을 함께 이르는 말. (　　　)

3 ㅎ ㄷ ㅂ ㅅ : 제사상을 차릴 때 붉은 과일은 동쪽에 흰 과일은 서쪽에 놓는 일. (　　　)

**4-5 다음 낱말의 뜻풀이에 알맞은 말을 찾아 ○표를 하세요.**

4 귀성: (부모님, 선생님)을 뵙기 위해 고향으로 돌아가거나 돌아옴.

5 친척: 같은 (핏줄, 학교)로 관계가 있는 일정한 범위의 사람들.

**6-7 다음 뜻풀이를 가진 낱말을 보기에서 찾아 문장의 빈칸에 알맞게 쓰세요.**

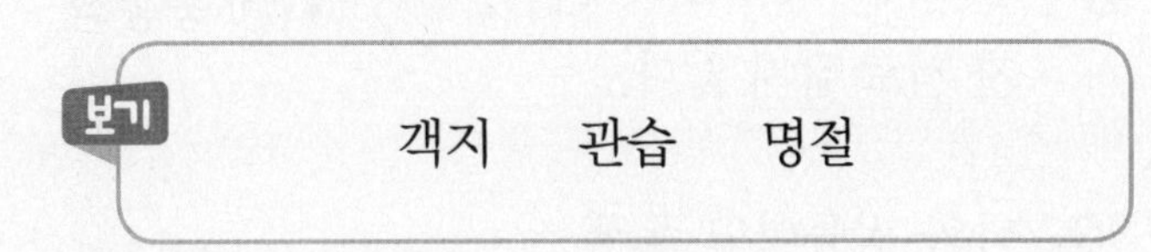


6 자신의 집을 떠나 임시로 있는 곳.
→ 삼촌은 (　　　)에서 혼자 일을 하신다.

7 해마다 일정하게 지키어 즐기거나 기념하는 때.
→ (　　　)에는 온 가족이 모여 맛있는 음식을 먹는다.

**8-10 다음 낱말과 뜻풀이를 보고 뜻이 비슷한 낱말을 보기에서 찾아 쓰세요.**

보기
귀성 중추절 친척 풍습

8 귀향: 고향으로 돌아가거나 돌아옴. (　　　)

9 인척: 남자와 여자가 부부가 되어 맺어진 친척. (　　　)

10 추석: 우리나라의 명절로, 당해에 난 쌀과 과일 등으로 차례를 지냄. (　　　)

**11-12 다음 빈칸에 들어갈 알맞은 낱말을 찾아 ○표를 하세요.**

11 설날에 오랜만에 (　　　)을 만나니 매우 반가웠다.
(귀성, 명절, 친척)

12 인도라는 나라에는 오른손으로만 식사를 하는 (　　　)이 있다.
(관념, 관습, 관중)

**1-3 다음 뜻풀이를 가진 낱말을 보기에서 찾아 문장의 빈칸에 알맞게 쓰세요.**

보기: 과식 마시다 음식 허기지다

1 지나치게 많이 먹음.
→ 뷔페에 맛있는 요리가 많아 ( ) 을 하였다.

2 사람이 먹고 마실 수 있도록 만든 모든 것.
→ 할머니께서 만들어 주신 ( )이 제일 맛있다.

3 물이나 주스 등의 액체를 목구멍으로 넘기다.
→ 운동 후에 시원한 음료수를 ( ).

**4-6 다음 낱말의 뜻풀이에 알맞은 말을 보기에서 찾아 쓰세요.**

보기: 배 시간 재료 포식

4 끼니: 아침, 점심, 저녁으로 하루 세 번 정하여진 ( )에 먹는 밥.

5 조리: 여러 가지 ( )를 잘 맞추어 음식을 만듦.

6 허기지다: 몹시 ( )가 고파 몸의 기운이 빠지다.

**7-9 다음 문장의 밑줄 친 낱말과 바꾸어 쓸 수 있는 낱말에 ○표를 하세요.**

7 과식을 하여 소화제를 먹었다.
(금식, 포식)

8 스테이크로 저녁 끼니를 해결하였다.
(식기, 식사)

9 허기져서 저녁밥을 두 그릇이나 먹었다.
(배고파서, 배불러서)

**10-11 다음 낱말의 뜻풀이로 알맞은 것을 찾아 기호를 쓰세요.**

10 요리
㉠ 끼니로 음식을 먹음.
㉡ 여러 과정을 거쳐 음식을 만듦.

11 흡입하다
㉠ 빨아들이거나 들이마시다.
㉡ 배 속이 비어서 음식이 먹고 싶다.

**12 보기의 뜻풀이에 알맞은 관용어의 기호를 쓰세요.**

보기: 맹물도 입에 대지 못하고 완전히 굶다.

㉠ 눈이 번쩍 뜨이다
㉡ 음식 구경을 못 하다

걸린 시간 ( ) 분 맞은 개수 ( ) 개

## 13회 어휘력 테스트

**1-3 다음 밑줄 친 낱말의 뜻풀이를 보기에서 찾아 기호를 쓰세요.**

보기
㉠ 서로 비슷하다.
㉡ 남달리 귀여워하고 사랑함.
㉢ 사물의 가치를 가볍게 여기거나 인정하지 않음.

1 남에게 무시를 당하면 기분이 상한다.

2 우리 강아지는 온 가족의 총애를 받는다.

3 나와 친구는 오늘 유사한 옷을 입고 학교에 왔다.

**4-6 다음 초성과 뜻풀이를 보고 빈칸에 들어갈 알맞은 낱말을 쓰세요.**

4 ㄱ ㅈ : 주로 부부를 중심으로 아들, 딸, 손주 등으로 이루어진 집단.
→ 우리 (          )은 해마다 모두 함께 사진을 찍는다.

5 ㅅ ㅈ ㅎ ㄷ : 지니고 있는 가치나 의미가 중요하여 매우 귀하다.
→ 나는 동생이 세상에서 가장 (          ).

6 ㅎ ㅁ : 서로 뜻이 맞고 정다움.
→ 선생님께서는 친구들과의 (          )이 중요하다고 말씀하셨다.

**7-8 다음 빈칸에 공통으로 들어갈 알맞은 낱말을 보기에서 찾아 쓰세요.**

보기
무시　식구　존경　화목

7 • 위인은 (          )을 받았다.
• 나는 부모님을 (          )한다.

8 • 우리집은 (          )가 많다.
• (          )가 모여 회의를 하였다.

**9-10 다음 밑줄 친 낱말과 바꾸어 쓸 수 있는 낱말을 보기에서 찾아 쓰세요.**

귀중하다　닮다

9 엄마와 이모는 얼굴이 유사하다.

10 동생이 그려 준 그림은 무척 소중하다.

**11-12 다음 밑줄 친 부분과 의미가 통하는 낱말이나 한자 성어를 찾아 선으로 이으세요.**

11 선생님께서는 우리를 아끼고 소중히 여겨 주신다. •　　　• ㉠ 가화만사성

12 우리 집 가훈은 집안이 화목하면 모든 일이 잘 이루어진다는 것이다. •　　　• ㉡ 사랑

# 14회 어휘력 테스트

정답과 해설 37쪽

**1-3 다음 초성과 뜻풀이를 보고 알맞은 낱말이나 한자 성어를 쓰세요.**

1 ㄴ ㅂ : 실내의 온도를 낮춰 차게 하는 일. (        )

2 ㅇ ㄷ ㅅ ㅎ : 눈 내리는 한겨울의 심한 추위. (        )

3 ㅇ ㅎ : 온도가 섭씨 0도 이하인 상태. (        )

**4-5 다음 낱말의 뜻풀이에 알맞은 말을 찾아 ○표를 하세요.**

4 얼다: 액체나 물기가 있는 물체가 찬 기운 때문에 (고체, 기체) 상태로 굳어지다.

5 영상: 섭씨 0도 (이상, 이하)의 기온을 이르는 말.

**6-7 다음 뜻풀이를 가진 낱말을 보기에서 찾아 문장의 빈칸에 알맞게 쓰세요.**

보기: 난방 영상 한겨울

6 추위가 한창인 겨울.
→ (        )에 눈이 내리면 천천히 걸어야 한다.

7 실내의 온도를 높여 따뜻하게 하는 일.
→ 겨울이 되자 (        )을 위해 보일러를 켰다.

**8-10 다음 낱말과 뜻풀이를 보고 뜻이 비슷한 낱말을 보기에서 찾아 쓰세요.**

보기: 동면 얼다 한겨울 한기

8 겨울잠: 겨울에 동물이 활동을 멈추고 땅속 등에서 겨울을 보내는 일. (        )

9 결빙하다: 물이 얼다. (        )

10 추위: 추운 정도. (        )

**11-12 다음 빈칸에 들어갈 알맞은 낱말을 찾아 ○표를 하세요.**

11 (        )의 날씨가 계속되니 새싹이 돋아나기 시작하였다.
(영도, 영상, 영혼)

12 (        )이 되면 강원도 기온은 영하 20도 이하로 내려간다.
(한겨울, 한여름)

# 15회 어휘력 테스트

**1-3 다음 뜻풀이를 가진 낱말을 보기에서 찾아 문장의 빈칸에 알맞게 쓰세요.**

안전하다　　알리다　　주의　　진화

**1** 불이 난 것을 끔.

→ 많은 소방관들께서 산불 (　　　　　)를 하셨다.

**2** 위험이 생기거나 사고가 날 걱정이 없다.

→ 배를 탈 때는 구명조끼를 반드시 입어야 (　　　　　).

**3** 사물이나 상황에 대한 정보나 지식을 알게 하다.

→ 동생에게 소풍 가는 날짜를 (　　　　　).

**4-6 다음 낱말의 뜻풀이에 알맞은 말을 보기에서 찾아 쓰세요.**

습기　　실수　　일　　재난

**4** 건조하다: 말라서 (　　　　)가 없거나 아주 적다.

**5** 소방: 불로 인한 (　　　　)을 막고 불이 났을 때 불을 끔.

**6** 조심: 잘못이나 (　　　　)가 없도록 말이나 행동에 마음을 씀.

**7-9 다음 문장의 밑줄 친 낱말과 바꾸어 쓸 수 있는 낱말에 ○표를 하세요.**

**7** 소화기로 화재 진화 방법을 배웠다.

(소각, 소방)

**8** 길에서 지갑을 주워서 경찰서에 알렸다.

(신고하였다, 신기하였다)

**9** 발을 헛디디지 않도록 조심을 해야 한다.

(주위, 주의)

**10-11 다음 낱말의 뜻풀이로 알맞은 것을 찾아 기호를 쓰세요.**

**10** 습하다

㉠ 메마르지 않고 물기가 많아 축축하다.

㉡ 일이나 상황에 대하여 자세히 이야기하여 알리다.

**11** 위태하다

㉠ 마음에 새겨 두고 조심하다.

㉡ 마음을 놓을 수 없을 정도로 위험하다.

**12 보기의 뜻풀이에 알맞은 관용어의 기호를 쓰세요.**

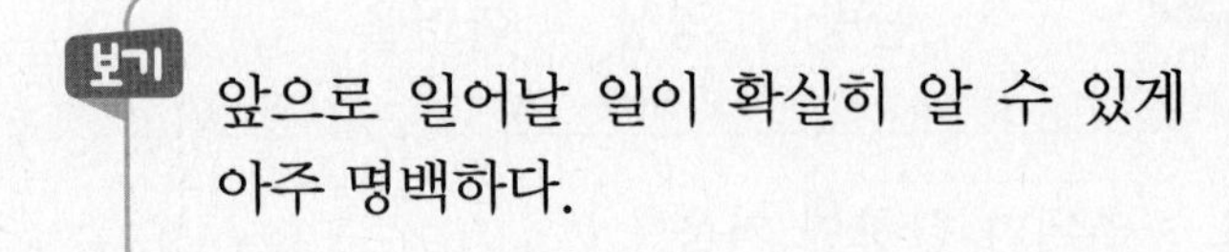
보기

앞으로 일어날 일이 확실히 알 수 있게 아주 명백하다.

㉠ 눈에 불을 켜다

㉡ 불을 보듯 뻔하다

**1-3** **다음 밑줄 친 낱말과 속담의 뜻풀이를 보기 에서 찾아 기호를 쓰세요.**

보기
㉠ 슬픔이나 걱정 등으로 마음이 힘듦.
㉡ 남이 잘되는 것을 욕심내고 미워하다.
㉢ 미운 사람일수록 잘해 주고 나쁜 마음이 쌓이지 않도록 해야 함.

1 친구가 선생님께 칭찬 받은 일을 시기하였다.

2 집에서 기르던 고양이가 많이 아파서 크게 상심을 하였다.

3 미운 아이 떡 하나 더 준다는 마음으로 얄미운 친구에게 더욱 친절하게 대하였다.

**4-6** **다음 초성과 뜻풀이를 보고 빈칸에 들어갈 알맞은 낱말을 쓰세요.**

4 ㅂ ㅇ ㅎ ㄷ : 마음이 편안하지 않다.
→ 농부는 비가 안 올까 봐 (　　　　).

5 ㅇ ㄹ ㄷ : 혼자 있거나 기댈 곳이 없어 쓸쓸하다.
→ 친구는 동생이 없어서 (　　　　)고 하였다.

6 ㅇ ㅇ ㅎ ㄷ : 근심스럽거나 답답하여 활발함이 없다.
→ 부모님께 혼나서 (　　　　).

**7-8** **다음 빈칸에 공통으로 들어갈 알맞은 낱말을 보기 에서 찾아 쓰세요.**

보기
기뻤다　　미웠다
우울하게　　쾌활하게

7 • 장난친 친구가 (　　　　).
• 나를 놀린 동생이 (　　　　).

8 • 고양이가 (　　　　) 뛰었다.
• (　　　　) 웃는 모습이 좋다.

**9-10** **다음 밑줄 친 낱말과 바꾸어 쓸 수 있는 낱말을 보기 에서 찾아 쓰세요.**

보기
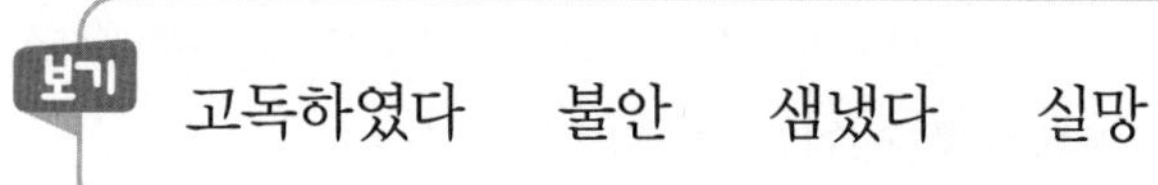


9 선물을 받은 동생을 시기하였다.

10 받아쓰기를 많이 틀려서 상심을 하였다.

**11-12** **다음 밑줄 친 부분과 의미가 통하는 낱말을 찾아 선으로 이으세요.**

11 발표를 하려니 걱정되어 마음이 놓이지 않았다. •　　　• ㉠ 고독하다

12 떨어지는 낙엽을 보니 마음이 매우 외롭고 쓸쓸하였다. •　　　• ㉡ 조마조마하다

걸린 시간 (　　) 분　맞은 개수 (　　) 개

# 17회 어휘력 테스트

**1-3 다음 초성과 뜻풀이를 보고 알맞은 낱말을 쓰세요.**

1 ㄱ ㅈ : 안심이 되지 않아 마음을 태움. (        )

2 ㅂ ㅍ ㅎ ㄷ : 물질이 변하여 나쁜 냄새가 나거나 독이 있는 물질이 생기다. (        )

3 ㅇ ㄷ : 더 이상 차지하거나 누리지 못하는 상태가 되다. (        )

**4-5 다음 낱말과 관용어의 뜻풀이에 알맞은 말을 찾아 ○표를 하세요.**

4 과도하다: 일정한 정도나 (중도, 한도)를 넘어서 있다.

5 말을 잃다: 놀라거나 (어이, 어조)가 없어 말이 나오지 않다.

**6-7 다음 뜻풀이를 가진 낱말을 보기에서 찾아 문장의 빈칸에 알맞게 쓰세요.**

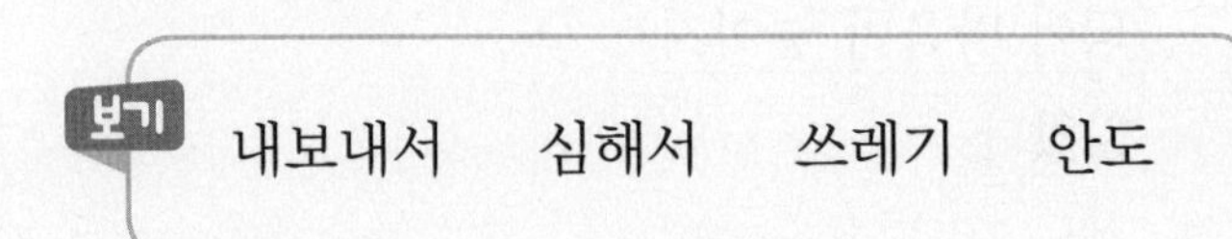


6 정도가 지나치다.
→ 추위가 (        ) 수도관이 얼었다.

7 어떤 일이 잘 되어 마음을 놓음.
→ 잃어버렸던 지갑을 찾아서 (        )를 하였다.

**8-10 다음 낱말과 뜻풀이를 보고 뜻이 비슷한 낱말을 보기에서 찾아 쓰세요.**

보기: 배출하다 부패하다 안도 오물

8 내보내다: 안에서 밖으로 나가게 하다. (        )

9 썩다: 균의 작용으로 성질이 변하여 나쁜 냄새가 나고 형체가 뭉개지다. (        )

10 쓰레기: 못 쓰게 되어 내다 버릴 물건이나 내다 버린 물건을 모두 이르는 말. (        )

**11-12 다음 빈칸에 들어갈 알맞은 낱말을 찾아 ○표를 하세요.**

11 창문을 열고 탁한 공기를 (        ).
(내보냈다, 들어왔다)

12 (        ) 버린 줄 알았던 친구의 책을 다행히도 찾았다.
(읽어, 잃어)

# 18회 어휘력 테스트

정답과 해설 38쪽

**1-3 다음 뜻풀이를 가진 낱말을 보기에서 찾아 문장의 빈칸에 알맞게 쓰세요.**

보기: 깨끗하다 담당하다 먼지 정리

**1** 어떤 일을 맡다.
→ 저녁을 먹고 설거지를 ( ).

**2** 가지런히 잘 정돈되어 말끔하다.
→ 온가족이 함께 봄맞이 대청소를 하여서 방이 ( ).

**3** 눈에 보이지 않을 정도로 작고 가벼운 물질.
→ 오랜만에 이불을 털었더니 ( )가 풀풀 날렸다.

**4-6 다음 낱말의 뜻풀이에 알맞은 말을 보기에서 찾아 쓰세요.**

보기: 물질 살림 질서 책임

**4** 맡다: 어떤 일에 대한 ( )을 지고 담당하다.

**5** 정리: 흐트러진 것을 한데 모으거나 치워서 ( ) 있게 함.

**6** 집안일: ( )을 꾸려 나가며 해야 하는 여러 가지 일.

**7-9 다음 문장의 밑줄 친 낱말과 바꾸어 쓸 수 있는 낱말에 ○표를 하세요.**

**7** 동생이 책장의 책들을 <u>정리</u>하였다.
(정돈, 정복)

**8** 쓰레기를 함부로 버린 것이 <u>발견</u>되었다.
(적발, 적중)

**9** <u>집안일</u>은 가족 모두가 나눠서 함께 해야 한다.
(가사, 장사)

**10-11 다음 낱말의 뜻풀이로 알맞은 것을 찾아 기호를 쓰세요.**

**10** 발견
㉠ 살림을 꾸려 나가는 일.
㉡ 미처 보지 못했거나 알려지지 않은 것들을 찾아냄.

**11** 적발
㉠ 맑고 깨끗하다.
㉡ 숨겨져 있는 일이나 드러나지 아니한 것을 겉으로 드러나게 함.

**12 보기의 뜻풀이에 알맞은 속담의 기호를 쓰세요.**

보기: 아무리 깨끗하고 착한 사람이라 하더라도 숨겨진 빈틈은 있음.

㉠ 주머니 털어 먼지 안 나오는 사람 없다
㉡ 바다는 메워도 사람의 욕심은 못 채운다

# 19회 어휘력 테스트

**1-3** 다음 밑줄 친 낱말과 관용어의 뜻풀이를 **보기**에서 찾아 기호를 쓰세요.

보기
㉠ 거짓말을 자주 하다.
㉡ 일이 되어 가는 과정이나 형편.
㉢ 남이 모르게 감추거나 드러내지 않다.

1 강아지가 숨긴 양말 한 짝을 찾았다.

2 상황이 어렵더라도 희망을 잃지 말아야 한다.

3 동생은 거짓말을 밥 먹듯 해서 부모님께 혼이 났다.

**4-6** 다음 초성과 뜻풀이를 보고 빈칸에 들어갈 알맞은 낱말을 쓰세요.

4 ㄱ ㅈ ㅁ : 사실이 아닌 것을 사실처럼 꾸며서 말함.

→ 친구는 (          )이 들통나서 선생님께 꾸중을 들었다.

5 ㅂ ㅂ : 같은 일을 되풀이함.

→ 피아노를 (          )하여 연습했더니 잘 치게 되었다.

6 ㅈ ㅈ ㅎ ㄷ : 마음에 거짓이나 꾸밈이 없고 바르고 곧다.

→ 주운 지갑을 경찰서에 가져간 민석이는 (          ).

**7-8** 다음 빈칸에 공통으로 들어갈 알맞은 낱말을 **보기**에서 찾아 쓰세요.

거짓말　　되풀이　　사실　　상황

7
- 힘든 (          )에 처했다.
- (          )에 따라 행동하다.

8
- 실수를 (          )하면 안 된다.
- 영어 듣기를 (          )해 공부하였다.

**9-10** 다음 밑줄 친 낱말과 바꾸어 쓸 수 있는 낱말을 **보기**에서 찾아 쓰세요.

당면하게　　실토하게　　정직하게

9 잘못은 솔직하게 고백하는 것이 좋다.

10 위기에 처하게 되면 행동을 조심해야 한다.

**11-12** 다음 밑줄 친 부분과 의미가 통하는 낱말을 찾아 선으로 이으세요.

11 비가 와서 집까지 뛰어가야 하는 처지에 놓였다. •　　　• ㉠ 솔직하다

12 나는 거짓이나 숨김이 없고 바른 친구들이 참 좋다. •　　　• ㉡ 처하다

걸린 시간　　분　맞은 개수　　개

정답과 해설 38쪽

**1-3** 다음 초성과 뜻풀이를 보고 알맞은 낱말을 쓰세요.

1 | ㅇ | ㄱ | ㄷ | : 약속, 규칙 등을 지키지 않고 거스르다. (　　　)

2 | ㅈ | ㅋ | ㄷ | : 약속, 법 등을 어기지 않고 그대로 하다. (　　　)

3 | ㅎ | ㄷ | : 구별하지 못하고 뒤섞어서 생각함. (　　　)

**4-5** 다음 낱말과 속담의 뜻풀이에 알맞은 말을 찾아 ○표를 하세요.

4 잃어버리다: 가졌던 물건이 (닳아서, 없어져) 그것을 아주 갖지 아니하게 되다.

5 장부의 한 말이 천금같이 무겁다: 한번 한 (노력, 약속)은 꼭 지켜야 함.

**6-7** 다음 뜻풀이를 가진 낱말을 보기에서 찾아 문장의 빈칸에 알맞게 쓰세요.

보기 위반하지　지키지　확실하지

6 약속, 법률 등을 지키지 않고 어기다.
→ 학교 규칙을 (　　　) 말아야 한다.

7 조금도 어긋나는 일이 없이 그러하다.
→ 알 수 없는 미래는 (　　　) 않다.

**8-10** 다음 낱말과 뜻풀이를 보고 뜻이 비슷한 낱말을 보기에서 찾아 쓰세요.

보기 약속　지키다　혼동　확실하다

8 분명하다: 어떤 사실이 틀림이 없이 확실하다. (　　　)

9 이행하다: 실제로 행하다. (　　　)

10 착각: 어떤 것을 실제와 다르게 지각하거나 생각함. (　　　)

**11-12** 다음 빈칸에 들어갈 알맞은 낱말을 찾아 ○표를 하세요.

11 누나는 숙제를 도와주겠다는 (　　　)을 지켰다.
(약속, 약점)

12 친구의 전화번호를 (　　　)해 전화를 잘못 걸었다.
(착각, 착공)

걸린 시간 　　분　맞은 개수 　　개

# 21회 어휘력 테스트

**1-3 다음 뜻풀이를 가진 낱말을 보기에서 찾아 문장의 빈칸에 알맞게 쓰세요.**

광경　　기억　　상상　　소장

**1** 벌어진 일의 형편과 모양.

→ 단풍이 든 설악산의 (　　　　)이 감동적이었다.

**2** 경험하지 않은 현상이나 사물을 마음속으로 그려 봄.

→ (　　　　) 속에서 떠올린 장면을 그림으로 그렸다.

**3** 마음속에 새겨진 느낌이나 경험을 간직하거나 도로 생각해 냄.

→ 한라봉을 보자 제주도에 갔던 (　　　　)이 떠올랐다.

**4-6 다음 낱말의 뜻풀이에 알맞은 말을 보기에서 찾아 쓰세요.**

떠올리다　　분간　　장소　　생각하다

**4** 간직: 물건 등을 어떤 (　　　　　)에 잘 간수하여 둠.

**5** 동경하다: 어떤 것을 간절히 그리워하여 그것만을 (　　　　　).

**6** 아련하다: 똑똑히 (　　　　　)하기 힘들게 흐릿하다.

**7-9 다음 문장의 밑줄 친 낱말과 바꾸어 쓸 수 있는 낱말에 ○표를 하세요.**

**7** 꽃들이 화려하게 핀 <u>광경</u>이 눈이 부셨다.

(장면, 장벽)

**8** 유치원 때의 기억이 <u>아련하게</u> 떠오른다.

(희망차게, 희미하게)

**9** 일기장에 넣어 둔 은행잎을 잘 <u>간직</u>하고 있다.

(소장, 수상)

**10-11 다음 낱말의 뜻풀이로 알맞은 것을 찾아 기호를 쓰세요.**

**10** 경험

㉠ 어떤 장소에서 겉으로 드러난 면이나 벌어진 광경.

㉡ 자신이 실제로 해 보거나 겪어 봄. 또는 거기서 얻은 지식 등.

**11** 소장

㉠ 분명하지 못하고 어렴풋함.

㉡ 자기의 것으로 지니어 간직함.

**12** **보기의 뜻풀이에 알맞은 관용어의 기호를 쓰세요.**

머리에 기억되었던 것이 잊히다.

㉠ 마음을 붙이다

㉡ 기억에서 사라지다

정답과 해설 39쪽

**1-3 다음 밑줄 친 낱말의 뜻풀이를 보기에서 찾아 기호를 쓰세요.**

보기
㉠ 지나온 과정을 다시 돌아보다.
㉡ 사람이 많이 사는 지방이나 지역.
㉢ 떠나는 사람을 기쁜 마음으로 보냄.

1 우리 고장은 감나무가 많기로 유명하다.

2 전학 가는 친구의 환송을 위해 선물을 준비하였다.

3 학교생활을 되돌아보며 공부를 더 열심히 하겠다고 결심하였다.

**4-6 다음 초성과 뜻풀이를 보고 빈칸에 들어갈 알맞은 낱말을 쓰세요.**

4 ㄱ ㅈ : 기구나 기계가 제대로 움직이지 못하게 되는 기능상의 장애.
→ 벽에서 떨어진 시계가 부서져 (　　　)이 났다.

5 ㅅ ㄹ ㄷ : 지금까지 있은 적이 없다.
→ 등산을 가서 처음 본 식물이 (　　　).

6 ㅇ ㄱ ㄷ : 어떤 곳에서 다른 곳으로 움직여 자리를 바꾸게 하다.
→ 높은 곳에 액자를 달기 위하여 의자를 (　　　).

**7-8 다음 빈칸에 공통으로 들어갈 알맞은 낱말을 보기에서 찾아 쓰세요.**

보기
고장　시작　참신　환영

7
- 해가 빛나기 (　　　)하다.
- 요리를 배우기 (　　　)하였다.

8
- (　　　) 행사를 크게 열었다.
- 집에 오신 손님을 (　　　)하였다.

**9-10 다음 밑줄 친 낱말과 바꾸어 쓸 수 있는 낱말을 보기에서 찾아 쓰세요.**

보기
반추하였다　이전하였다
참신하였다

9 동생이 만든 작품은 새로웠다.

10 일기를 쓰며 오늘 한 일을 되돌아보았다.

**11-12 다음 밑줄 친 부분과 의미가 통하는 낱말이나 속담을 찾아 선으로 이으세요.**

11 아빠께서 주소를 새로 이사 간 동네로 옮기셨다. •　　• ㉠ 시작이 반이다

12 아무리 어려운 일도 일단 시작하면 끝까지 할 수 있다. •　　• ㉡ 이전하다

걸린 시간 (　　) 분　맞은 개수 (　　) 개

# 23회 어휘력 테스트

**1-3 다음 초성과 뜻풀이를 보고 알맞은 낱말을 쓰세요.**

1 ㄱ ㄹ : 예의범절에서 벗어나는 행동을 함. 또는 예의를 갖추지 못함. (　　　)

2 ㅅ ㅈ : 지은 죄나 잘못에 대하여 용서를 빎. (　　　)

3 ㅊ ㄷ ㅎ ㄷ : 서로 맞부딪치거나 맞서다. (　　　)

**4-5 다음 낱말과 한자 성어의 뜻풀이에 알맞은 말을 찾아 ○표를 하세요.**

4 사양: (겸손, 부족)하여 받지 아니하거나 응하지 아니함. 또는 남에게 양보함.

5 지란지교: (가족, 친구) 사이의 맑고도 훌륭하며 귀중한 사귐.

**6-7 다음 뜻풀이를 가진 낱말을 보기에서 찾아 문장의 빈칸에 알맞게 쓰세요.**

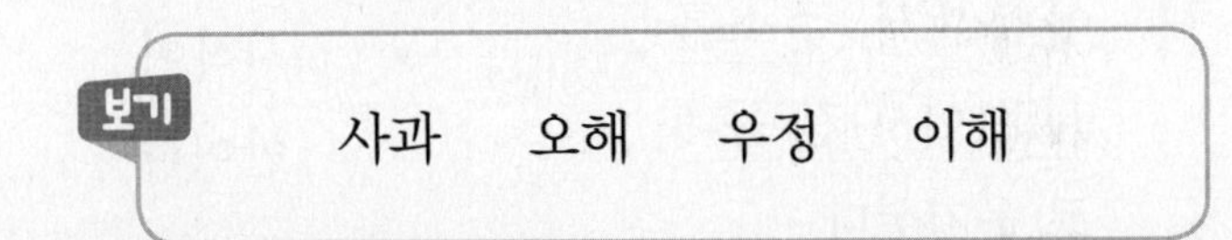


6 친구 사이의 정.

→ 어릴 때부터 사귄 우리의 (　　　)은 두텁다.

7 남의 사정을 잘 헤아려 너그러이 받아들임.

→ 설명을 듣고 어려운 문제를 (　　　)하였다.

**8-10 다음 낱말과 뜻풀이를 보고 뜻이 비슷한 낱말을 보기에서 찾아 쓰세요.**

보기: 결례　사양　사죄

8 사과: 자기의 잘못을 인정하고 용서를 빎. (　　　)

9 실수: 조심하지 아니하여 잘못함. 또는 그런 행위. (　　　)

10 양보: 자리, 물건 등을 사양하여 남에게 미루어 줌. (　　　)

**11-12 다음 빈칸에 들어갈 알맞은 낱말을 찾아 ○표를 하세요.**

11 오빠와 나는 작은 일로 크게 (　　　).
(다루었다, 다투었다)

12 친구는 나의 말을 (　　　)하고 화를 내었다.
(오해, 이해)

걸린 시간 　　분　맞은 개수 　　개

정답과 해설 39쪽

**1-3 다음 뜻풀이를 가진 낱말을 보기에서 찾아 문장의 빈칸에 알맞게 쓰세요.**

보기
꿈꿀 반드시
실패할 장래

**1** 다가올 앞날.

→ 그 선수는 (        )에 금메달을 따고 싶다는 뜻을 밝혔다.

**2** 틀림없이 꼭.

→ 이번에는 (        ) 산 정상에 오를 것이다.

**3** 어떤 일에 원하던 결과를 얻지 못하거나 완성하지 못하다.

→ (        ) 것을 두려워하지 말고 끝까지 도전하라.

**4-6 다음 낱말의 뜻풀이에 알맞은 말을 보기에서 찾아 쓰세요.**

보기
마음 목적 지나간 후회한

**4** 과거 : 이미 (        ) 때.

**5** 노력: (        )을 이루기 위하여 몸과 마음을 다하여 애씀.

**6** 염원하다: (        )에 간절히 생각하고 기대하며 바라다.

**7-9 다음 문장의 밑줄 친 낱말과 바꾸어 쓸 수 있는 낱말에 ○표를 하세요.**

**7** 누나는 작가가 되기를 <u>염원하였다</u>.
(꿈꾸었다, 자랑하였다)

**8** 이번에는 <u>반드시</u> 마라톤을 끝까지 달리겠다.
(필수, 필시)

**9** 위기를 극복할 수 있을 것이라는 <u>포부</u>를 가졌다. (절망, 희망)

**10-11 다음 낱말의 뜻풀이로 알맞은 것을 찾아 기호를 쓰세요.**

**10** 이루다

㉠ 뜻한 대로 되게 하다.

㉡ 속으로 어떤 일이 이루어지기를 바라거나 이루려고 힘을 쓰다.

**11** 희망

㉠ 아마도 틀림없이.

㉡ 어떤 일을 이루거나 하기를 바람.

**12 보기의 뜻풀이에 알맞은 속담의 기호를 쓰세요.**

힘을 다하고 정성을 다하여 한 일은 그 결과가 반드시 헛되지 아니함.

㉠ 공든 탑이 무너지랴

㉡ 고생 끝에 낙이 온다

MEMO

정답과
해설

# 확인 학습 정답과 해설

## 01회

▶ 본문 10~11쪽

| | | | |
|---|---|---|---|
| 1 방법 | 2 목적 | 3 성질 | 4 목표물 |
| 5 결과 | 6 ㉡ | 7 ㉠ | 8 자세 |
| 9 특징 | 10 ㉢ | 11 ㉠ | 12 ㉡ |
| 13 서울 | 14 예 내가 쓴 상추의 관찰 일기는 상세하다. | | |

**6** '과정'은 '일이 되어 가는 방법이나 순서.'를 뜻하는 말이므로, ㉡이 '과정'이 들어가기에 알맞은 문장입니다.

**7** '관찰'은 '사물이나 현상을 주의하여 자세히 살펴봄.'을 뜻하는 말입니다. 따라서 ㉠이 '관찰'이 들어가기에 알맞은 문장입니다.

**13** 보기 의 '수단이나 방법은 어찌 되었든 간에 목적만 이루면 됨.'이라는 뜻풀이를 가진 속담은 '모로 가도 서울만 가면 된다'로, 속담의 빈칸에 들어갈 말은 '서울'입니다.

## 02회

▶ 본문 14~15쪽

| | | | |
|---|---|---|---|
| 1 ㉢ | 2 ㉠ | 3 ㉡ | 4 공표 |
| 5 강조 | 6 주장 | 7 존중 | 8 생각 |
| 9 협의 | 10 ㉢ | 11 ㉡ | 12 ㉠ |
| 13 ㉢ | 14 예 회의에서 나의 생각을 말하였다. | | |

**6** '주장'은 '자신의 의견이나 생각을 굳게 내세움.'을 뜻하는 말로, "학급 회의 시간에 나의 생각에 대하여 '주장'을 하였다."가 알맞습니다.

**7** '존중'은 '높이어 매우 소중하게 여김.'을 뜻하는 말로, "부모님께서는 나의 말에 귀 기울이시고 '존중'을 해 주신다."가 알맞습니다.

**13** '고양이 쥐 생각'은 '속으로는 그렇지 않으면서, 겉으로만 생각해 주는 척함.'을 뜻하는 속담입니다. 따라서 속담의 상황으로 알맞은 것은 ㉢으로, 동생을 생각해 선물을 하였지만 자신이 쓴다며 가져온 재현이입니다.

## 03회

▶ 본문 18~19쪽

| | | | |
|---|---|---|---|
| 1 ㉡ | 2 ㉡ | 3 ㉠ | 4 ㉡ |
| 5 ㉠ | 6 세워 | 7 선정하여 | 8 맞추다 |
| 9 방법 | 10 ㉡ | 11 ㉠ | 12 맞추었다 |
| 13 ㉡ | 14 예 생일날 하고 싶은 일들의 계획을 세웠다. | | |

**6** '세우다'는 '계획, 결심, 자신감 등이 마음속에 이루어지게 하다.'를 뜻하는 말로, "계획을 '세워' 아침 운동을 시작하였다."가 알맞습니다.

**7** '선정하다'는 '여럿 가운데서 어떤 것을 뽑아 정하다.'를 뜻하는 말입니다. 따라서 "함께 볼 영화를 '선정하여' 가족과 함께 영화관에 갔다."가 알맞습니다.

**13** '뜻을 세우다'는 '앞으로 닥쳐올 날의 목표를 마음에 품고 결심하다.'를 뜻하는 관용어입니다. 따라서 밑줄 친 관용어의 뜻풀이로 알맞은 것의 기호는 ㉡입니다.

## 04회

▶ 본문 22~23쪽

| | | | |
|---|---|---|---|
| 1 승부 | 2 단체 | 3 마음 | 4 당도 |
| 5 통과 | 6 ㉡ | 7 ㉠ | 8 도착 |
| 9 예선 | 10 ㉢ | 11 ㉠ | 12 ㉡ |
| 13 ㉠ | 14 예 응원이 힘이 되어 결승에도 나갔다. | | |

**6** '이탈'은 '어떤 범위나 대열 등에서 벗어남.'을 뜻하는 말로, "달리기 경기는 정해진 길을 '이탈'하면 안 된다."가 알맞습니다.

**7** '탈락'은 '어떤 데에 끼지 못하고 떨어지거나 빠짐.'을 뜻하는 말로, "배구 대회에서 '탈락'하여 아쉬웠다."가 알맞습니다.

**13** 밑줄 친 속담의 뜻풀이는 '쉬운 일이라도 힘을 합하여 하면 훨씬 쉬움.'입니다. 따라서 ㉠이 속담의 뜻풀이로 알맞습니다.

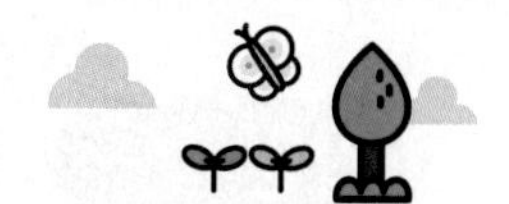

## 05회

▶ 본문 26~27쪽

| | | | |
|---|---|---|---|
| 1 ㉠ | 2 ㉢ | 3 ㉡ | 4 기온 |
| 5 날씨 | 6 수은주 | 7 일기 | 8 음산 |
| 9 황홀 | 10 ㉡ | 11 ㉠ | 12 ㉡ |
| 13 옷 | 14 예 오늘은 햇빛이 눈부시고 날씨가 좋았다. | | |

6 '수은주'는 '수은 온도계나 기압계의 유리관에 수은이 채워진 부분.'을 뜻하는 말입니다. 따라서 작년 겨울보다 추웠다는 뜻으로, "이번 겨울에는 작년보다 '수은주'가 많이 내려갔다."가 알맞습니다.

7 '일기'는 '일정한 지역에서 나타나는 그날그날의 기상 상태.'를 뜻하는 말로, "오늘 '일기' 예보에서 비가 온다고 하여 우산을 챙겼다."가 알맞습니다.

13 보기 의 뜻풀이를 가진 속담은 '가랑비에 옷 젖는 줄 모른다'로, 속담의 빈칸에 들어갈 알맞은 말은 '옷'입니다.

## 06회

▶ 본문 30~31쪽

| | | | |
|---|---|---|---|
| 1 ㉠ | 2 ㉠ | 3 ㉡ | 4 ㉡ |
| 5 ㉠ | 6 가벼워서 | 7 쉬어서 | 8 경쾌 |
| 9 쉬다 | 10 보행하였다 | 11 경쾌하였다 | 12 ㉠ |
| 13 ㉡ | 14 예 목적지를 정하지 않고 가볍게 걸었다. | | |

6 '가볍다'는 '옷차림이나 마음 등이 가뿐하다.'를 뜻하는 말입니다. 따라서 빈칸에 들어갈 낱말은 '가벼워서'입니다.

7 '쉬다'는 '하던 일을 멈추고 몸을 편안히 두다.'를 뜻하는 말입니다. 따라서 빈칸에 들어갈 낱말은 '쉬어서'입니다.

13 '넘어진 김에 쉬어 간다'는 '뜻하지 아니한 기회를 만나 자기가 하려고 하던 일을 이룸.'이라는 뜻을 가진 속담으로 ㉡이 속담의 상황으로 알맞습니다.

## 07회

▶ 본문 34~35쪽

| | | | |
|---|---|---|---|
| 1 마음 | 2 생각 | 3 몸 | 4 작정 |
| 5 동화 | 6 ㉡ | 7 ㉠ | 8 건강 |
| 9 허약 | 10 ㉢ | 11 ㉡ | 12 ㉠ |
| 13 ㉠ | 14 예 매일 아침 운동을 하겠다고 결심하였다. | | |

6 '균형'은 '한쪽으로 기울거나 치우치지 않고 고른 상태.'를 뜻하는 말입니다. 따라서 문장 ㉡의 "운동을 하여 '균형'이 잡힌 몸을 만들고 싶다."가 알맞습니다.

7 '적응'은 '일정한 조건이나 환경 등에 맞추어 잘 어울림.'을 뜻하는 말로, "나는 학교생활에 금방 '적응'을 하였다."가 알맞습니다.

13 밑줄 친 속담의 뜻풀이는 '기운차고 한창 좋을 때 더 힘을 가함.'입니다. 따라서 ㉠이 속담의 뜻풀이로 알맞습니다.

## 08회

▶ 본문 38~39쪽

| | | | |
|---|---|---|---|
| 1 ㉢ | 2 ㉡ | 3 ㉠ | 4 무용 |
| 5 선율 | 6 춤 | 7 음악 | 8 구가 |
| 9 독창 | 10 ㉢ | 11 ㉠ | 12 ㉡ |
| 13 감정, 마음 | 14 예 음악 시간에 박자에 맞추어 연주를 하였다. | | |

6 '춤'은 '음악에 맞추거나 흥에 겨워 팔다리와 몸을 움직이는 동작.'을 뜻하는 말로, "그 가수는 노래도 잘하고 '춤'도 잘 춘다."가 알맞습니다.

7 '음악'은 '박자, 가락 등을 어울리게 하여 목소리나 악기로 감정 등을 나타내는 예술.'을 뜻하는 말로, "나는 매일 저녁 '음악'을 들으며 스트레스를 푼다."가 알맞습니다.

13 '감정을 사다'는 '남의 감정을 마음에 들지 않거나 좋지 않게 만들다.'를 뜻하는 관용어로, 빈칸에 들어갈 말은 '감정', '마음'입니다.

# 확인 학습 정답과 해설

## 09회

▶ 본문 42~43쪽

| | | | |
|---|---|---|---|
| 1 ㉡ | 2 ㉡ | 3 ㉠ | 4 ㉠ |
| 5 ㉡ | 6 주인공 | 7 감상 | 8 독서 |
| 9 지혜 | 10 감상 | 11 출판 | 12 중심인물 |
| 13 ㉡ | 14 예 집에서 숙제를 다하고 책을 읽었다. | | |

**6** '주인공'은 '연극, 소설 등에서 사건의 중심이 되는 인물.'을 뜻하는 말로, "동화책에서 '주인공'이 울자 동생도 따라 울었다."가 알맞습니다.

**7** '감상'은 '마음속에서 일어나는 느낌이나 생각.'을 뜻하는 말로, "일기의 마지막에 오늘 하루에 대한 '감상'을 적었다."가 알맞습니다.

**13** '책상머리나 지키다'는 '현실과 부딪치지 않고 책임감 없이 한 자리만 맴돌거나 글자만 보다.'를 뜻하는 관용어입니다. 따라서 ㉡이 관용어의 상황으로 알맞습니다.

## 10회

▶ 본문 46~47쪽

| | | | |
|---|---|---|---|
| 1 체계 | 2 핏줄 | 3 음성 | 4 ㉡ |
| 5 ㉠ | 6 ㉡ | 7 ㉠ | 8 민족 |
| 9 문화 | 10 ㉢ | 11 ㉠ | 12 ㉡ |
| 13 밤말 | 14 예 우리의 문화는 다른 나라와 다르다. | | |

**6** '공통점'은 '둘 또는 그 이상 사이에 두루 같거나 통하는 점.'을 뜻하는 말로, "나와 짝꿍은 바나나를 좋아한다는 '공통점'이 있다."가 알맞습니다.

**7** '차이점'은 '서로 같지 아니하고 다른 점.'을 뜻하는 말로, "강아지와 고양이의 울음소리는 '차이점'이 있다."가 알맞습니다.

**13** '아무도 안 듣는 곳에서도 말조심해야 함.'이라는 뜻풀이를 가진 속담은 '낮말은 새가 듣고 밤말은 쥐가 듣는다'입니다. 따라서 속담의 빈칸에 들어갈 말은 '밤말'입니다.

## 11회

▶ 본문 50~51쪽

| | | | |
|---|---|---|---|
| 1 ㉢ | 2 ㉡ | 3 ㉠ | 4 객지 |
| 5 관습 | 6 고향 | 7 풍습 | 8 귀향 |
| 9 추석 | 10 ㉡ | 11 ㉠ | 12 ㉠ |
| 13 ㉠ | 14 예 명절이 되어 친척들과 오랜만에 만났다. | | |

**6** '고향'은 '태어나 자란 곳.'을 뜻하는 말입니다. 따라서 "어머니의 '고향'은 서울이다."로, 빈칸에 들어갈 낱말은 '고향'이 알맞습니다.

**7** '풍습'은 '풍속과 습관을 함께 이르는 말.'을 뜻합니다. 따라서 "정월 대보름에는 땅콩과 같은 부럼을 먹는 '풍습'이 있다."가 알맞습니다.

**13** '홍동백서'는 '제사상을 차릴 때 붉은 과일은 동쪽에 흰 과일은 서쪽에 놓는 일.'을 뜻하는 한자 성어입니다. 따라서 붉은 과일인 빨간 사과는 '동쪽'에 놓아야 함으로, 알맞은 것은 ㉠입니다.

## 12회

▶ 본문 54~55쪽

| | | | |
|---|---|---|---|
| 1 ㉠ | 2 ㉡ | 3 ㉠ | 4 ㉡ |
| 5 ㉠ | 6 마셨다 | 7 배고팠다 | 8 마시다 |
| 9 음식 | 10 ㉢ | 11 ㉠ | 12 ㉡ |
| 13 ㉠ | 14 예 많이 배고파서 음식이 먹고 싶었다. | | |

**6** '마시다'는 '물이나 주스 등의 액체를 목구멍으로 넘기다.'를 뜻하는 말입니다. 따라서 빈칸에 들어갈 낱말은 '마셨다'로, "산에 올라가 시원한 물을 '마셨다'."가 알맞습니다.

**7** '배고프다'는 '배 속이 비어서 음식이 먹고 싶다.'를 뜻하는 말로, 빈칸에 들어갈 낱말은 '배고팠다'입니다.

**13** '음식 구경을 못 하다'는 '맹물도 입에 대지 못하고 완전히 굶다.'를 뜻하는 관용어로, ㉠이 관용어의 상황으로 알맞습니다.

## 13회

▶ 본문 58~59쪽

| | | | |
|---|---|---|---|
| 1 가치 | 2 끼니 | 3 공손히 | 4 ㉡ |
| 5 ㉠ | 6 ㉡ | 7 ㉠ | 8 닮다 |
| 9 화목 | 10 ㉡ | 11 닮은 | 12 귀중한 |
| 13 집안 | 14 예 나는 우리 가족이 매우 소중하다. | | |

6 '무시'는 '사물의 가치를 가볍게 여기거나 인정하지 않음.'을 뜻하는 말입니다. 따라서 "친구가 '무시'를 하고 얄밉게도 내 말을 못 들은 체하였다."가 알맞습니다.

7 '총애'는 '남달리 귀여워하고 사랑함.'을 뜻하는 말로, "고모께서는 조카들 중에 나를 '총애'하시고 아껴 주신다."가 알맞습니다.

13 '가화만사성'은 '집안이 화목하면 모든 일이 잘 이루어짐.'을 뜻하는 한자 성어로, 빈칸에 들어갈 말은 '집안'입니다.

## 14회

▶ 본문 62~63쪽

| | | | |
|---|---|---|---|
| 1 ㉢ | 2 ㉡ | 3 ㉠ | 4 추위 |
| 5 난방 | 6 ㉡ | 7 ㉠ | 8 겨울잠 |
| 9 냉방 | 10 ㉠ | 11 ㉠ | 12 ㉡ |
| 13 ㉠ | 14 예 온도가 영하로 떨어지면 물이 언다. | | |

6 '영하'는 '온도가 섭씨 0도 이하인 상태.'를 뜻하는 말입니다. 따라서 '영하'가 들어가기에 알맞은 문장은 ㉡으로, "한겨울은 낮에도 '영하'의 기온에 머문다."가 알맞습니다.

7 '한기'는 '찬 기운.'을 뜻하는 말입니다. 따라서, "날씨가 추워 집에서 '한기'가 느껴졌다."가 알맞은 문장입니다.

13 '엄동설한'은 '눈 내리는 한겨울의 심한 추위.'를 뜻하는 한자 성어로, 밑줄 친 한자 성어인 '엄동설한'의 뜻풀이는 ㉠입니다.

## 15회

▶ 본문 66~67쪽

| | | | |
|---|---|---|---|
| 1 ㉠ | 2 ㉡ | 3 ㉡ | 4 ㉠ |
| 5 ㉡ | 6 습해서 | 7 알려서 | 8 안전 |
| 9 주의 | 10 ㉡ | 11 ㉠ | 12 ㉢ |
| 13 ㉡ | 14 예 불이 나면 빨리 신고해야 한다. | | |

6 '습하다'는 '메마르지 않고 물기가 많아 축축하다.'를 뜻하는 말로, 빈칸에 들어갈 낱말은 '습해서'입니다.

7 '알리다'는 '사물이나 상황에 대한 정보나 지식을 알게 하다.'를 뜻하는 말로, 빈칸에 들어갈 낱말은 '알려서'입니다.

13 '불을 보듯 뻔하다'는 '앞으로 일어날 일이 확실히 알 수 있게 아주 명백하다.'를 뜻하는 관용어입니다. 따라서 뜻풀이로 알맞은 것은 ㉡입니다. ㉠은 관용어 '불을 주다'의 뜻풀이입니다.

## 16회

▶ 본문 70~71쪽

| | | | |
|---|---|---|---|
| 1 혼자 | 2 걱정 | 3 활발함 | 4 ㉡ |
| 5 ㉠ | 6 ㉡ | 7 ㉠ | 8 샘내다 |
| 9 쾌활 | 10 ㉢ | 11 불안해서 | 12 시기해서 |
| 13 ㉡ | 14 예 친구에게 실망을 해서 우울하였다. | | |

6 '불안하다'는 '마음이 편안하지 않다.'를 뜻하는 말입니다. 따라서 '불안하였다'가 들어가기에 알맞은 문장은 ㉡으로, "설거지를 도와드릴 때 혹시나 그릇을 깰까 봐 '불안하였다'."입니다.

7 '외롭다'는 '혼자 있거나 기댈 곳이 없어 쓸쓸하다.'를 뜻하는 말입니다. 따라서 ㉠이 '외로웠다'가 들어가기에 알맞은 문장입니다.

13 '미운 아이 떡 하나 더 준다'는 '미운 사람일수록 잘해 주고 나쁜 마음이 쌓이지 않도록 해야 함.'을 뜻하므로, ㉡이 속담의 상황으로 알맞습니다.

## 확인 학습 정답과 해설

### 17회

▶ 본문 74~75쪽

| | | | |
|---|---|---|---|
| 1 ㉠ | 2 ㉢ | 3 ㉡ | 4 심하다 |
| 5 배출하다 | 6 ㉡ | 7 ㉠ | 8 쓰레기 |
| 9 안도 | 10 ㉡ | 11 ㉠ | 12 ㉠ |
| 13 잃다 | 14 예 쓰레기를 분리하여 배출하였다. | | |

6 '걱정'은 '안심이 되지 않아 마음을 태움.'을 뜻하는 말입니다. 따라서 '걱정'이 들어가기에 알맞은 문장은 ㉡으로, "받아쓰기가 어려울까 봐 '걱정'을 하였다."가 알맞습니다.

7 '오물'은 '더럽고 지저분한 물건.'을 뜻하는 말로, "대문 옆에 '오물'이 있어서 깜짝 놀랐다."가 알맞습니다.

13 '말을 잃다'는 '놀라거나 어이가 없어 말이 나오지 않다.'를 뜻하는 관용어로, 빈칸에 들어갈 말은 '잃다'입니다.

### 18회

▶ 본문 78~79쪽

| | | | |
|---|---|---|---|
| 1 ㉡ | 2 ㉡ | 3 ㉡ | 4 ㉡ |
| 5 ㉠ | 6 청결한 | 7 담당한 | 8 깨끗 |
| 9 적발 | 10 ㉢ | 11 ㉠ | 12 ㉡ |
| 13 먼지 | 14 예 집안일에서 설거지를 맡아 열심히 하였다. | | |

6 '청결하다'는 '맑고 깨끗하다.'를 뜻하는 말입니다. 따라서 빈칸에 들어갈 낱말로 알맞은 것은 '청결한'입니다.

7 '담당하다'는 '어떤 일을 맡다.'를 뜻하는 말입니다. 따라서 빈칸에 들어갈 낱말로 알맞은 것은 '담당한'입니다.

13 '아무리 깨끗하고 착한 사람이라 하더라도 숨겨진 빈틈은 있음.'이라는 뜻풀이를 가진 속담은 '주머니 털어 먼지 안 나오는 사람 없다'입니다. 따라서 속담의 빈칸에 들어갈 말은 '먼지'입니다.

### 19회

▶ 본문 82~83쪽

| | | | |
|---|---|---|---|
| 1 상황 | 2 거짓 | 3 처지 | 4 ㉡ |
| 5 ㉠ | 6 ㉠ | 7 ㉡ | 8 당면 |
| 9 되풀이 | 10 ㉢ | 11 반복 | 12 상황 |
| 13 ㉠ | 14 예 거짓말을 하지 말고 항상 정직해야 한다. | | |

6 '숨기다'는 '남이 모르게 감추거나 드러내지 않다.'를 뜻하는 말입니다. 따라서 '숨겼다'가 들어가기에 알맞은 문장은 ㉠으로, "친구를 놀라게 하려고 몸을 '숨겼다'."가 알맞습니다.

7 '정직하다'는 '마음에 거짓이나 꾸밈이 없고 바르고 곧다.'를 뜻하는 말입니다. 따라서 ㉡이 '정직하였다'가 들어가기에 알맞은 문장입니다.

13 밑줄 친 관용어 '거짓말을 밥 먹듯 하다'의 뜻풀이는 '거짓말을 자주 하다.'입니다. 따라서 ㉠이 관용어의 뜻풀이로 알맞습니다.

### 20회

▶ 본문 86~87쪽

| | | | |
|---|---|---|---|
| 1 ㉡ | 2 ㉢ | 3 ㉠ | 4 혼동 |
| 5 약속 | 6 ㉡ | 7 ㉠ | 8 착각 |
| 9 확실 | 10 ㉡ | 11 ㉢ | 12 ㉠ |
| 13 ㉢ | 14 예 나는 약속을 하면 꼭 지킨다. | | |

6 '잃어버리다'는 '가졌던 물건이 없어져 그것을 아주 갖지 아니하게 되다.'를 뜻하는 말로, ㉡이 '잃어버려서'가 들어가기에 알맞은 문장입니다.

7 '잊어버리다'는 '기억하여 두어야 할 것을 한순간 전혀 생각하여 내지 못하다.'를 뜻하는 말입니다. 따라서 ㉠이 '잊어버려서'가 들어가기에 알맞은 문장입니다.

13 '장부의 한 말이 천금같이 무겁다'는 '한번 한 약속은 꼭 지켜야 함.'을 뜻하므로, ㉢이 속담의 상황으로 알맞습니다.

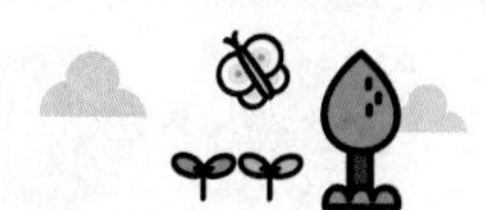

## 21회

▶ 본문 90~91쪽

| | | | |
|---|---|---|---|
| 1 ㉡ | 2 ㉡ | 3 ㉡ | 4 ㉠ |
| 5 ㉡ | 6 희미하였다 | 7 그리워하였다 | 8 경험 |
| 9 아련 | 10 ㉡ | 11 ㉠ | 12 ㉠ |
| 13 ㉠ | 14 예 기억하고 있던 친구 얼굴이 희미해졌다. | | |

6 '희미하다'는 '분명하지 못하고 어렴풋하다.'를 뜻하는 말로, 빈칸에 들어갈 낱말은 '희미하였다'입니다.

7 '그리워하다'는 '사랑하여 몹시 보고 싶어 하다.'를 뜻하는 말입니다. 따라서 빈칸에 들어갈 낱말은 '그리워하였다'로, "방학 동안 학교에 가지 않아 반 친구들을 '그리워하였다'."가 알맞습니다.

13 밑줄 친 '기억에서 사라지다'는 '머리에 기억되었던 것이 잊히다.'를 뜻하는 관용어입니다. 따라서 ㉠이 관용어의 뜻풀이로 알맞습니다.

## 22회

▶ 본문 94~95쪽

| | | | |
|---|---|---|---|
| 1 주소 | 2 산뜻 | 3 오는 | 4 ㉡ |
| 5 ㉠ | 6 ㉡ | 7 ㉠ | 8 반추 |
| 9 옮기다 | 10 ㉢ | 11 ㉡ | 12 ㉠ |
| 13 반 | 14 예 새로운 책을 읽기 시작하였다. | | |

6 '되돌아보다'는 '지나온 과정을 다시 돌아보다.'를 뜻하는 말로, ㉡이 '되돌아보고'가 들어가기에 알맞은 문장입니다.

7 '이전하다'는 '장소나 주소 등을 다른 데로 옮기다.'를 뜻하는 말로, ㉠이 '이전하고'가 들어가기에 알맞은 문장입니다.

13 '무슨 일이든지 일단 시작하면 일을 끝마치기는 어렵지 않음.'이라는 뜻풀이를 가진 속담은 '시작이 반이다'입니다. 따라서 속담의 빈칸에 들어갈 말은 '반'입니다.

## 23회

▶ 본문 98~99쪽

| | | | |
|---|---|---|---|
| 1 ㉠ | 2 ㉢ | 3 ㉡ | 4 실수 |
| 5 양보 | 6 ㉠ | 7 ㉡ | 8 사죄 |
| 9 충돌 | 10 ㉡ | 11 ㉠ | 12 ㉢ |
| 13 ㉢ | 14 예 양보를 하면 다툴 일이 줄어들 것이다. | | |

6 '사과'는 '자기의 잘못을 인정하고 용서를 빎.'을 뜻하는 말로, ㉠인 "동생과 싸우고 내가 먼저 '사과'를 하였다."가 알맞습니다.

7 '이해'는 '남의 사정을 잘 헤아려 너그러이 받아들임.'을 뜻하는 말로, ㉡인 "선생님께 숙제를 못한 까닭을 솔직하게 말씀드리니 '이해'를 해 주셨다."가 알맞습니다.

13 '지란지교'는 '친구 사이의 맑고도 훌륭하며 귀중한 사귐.'을 뜻하므로, ㉢이 한자 성어 '지란지교'의 상황으로 알맞습니다.

## 24회

▶ 본문 102~103쪽

| | | | |
|---|---|---|---|
| 1 ㉡ | 2 ㉠ | 3 ㉠ | 4 ㉠ |
| 5 ㉡ | 6 꿈꾸셨다 | 7 이루셨다 | 8 염원 |
| 9 필시 | 10 ㉡ | 11 ㉠ | 12 ㉡ |
| 13 탑 | 14 예 나는 노력하여 꿈을 이룰 것이다. | | |

6 '꿈꾸다'는 '속으로 어떤 일이 이루어지기를 바라거나 이루려고 힘을 쓰다.'를 뜻하는 말로, 빈칸에 들어갈 알맞은 낱말은 '꿈꾸셨다'입니다.

7 '이루다'는 '뜻한 대로 되게 하다.'를 뜻하는 말로, "세종 대왕께서는 한글을 만듦으로써 백성을 위해 글자를 만들겠다는 꿈을 '이루셨다'."가 알맞습니다.

13 '힘을 다하고 정성을 다하여 한 일은 그 결과가 반드시 헛되지 아니함.'이라는 뜻풀이를 가진 속담은 '공든 탑이 무너지랴'입니다. 따라서 속담의 빈칸에 들어갈 말은 '탑'입니다.

# 어휘력 테스트 정답과 해설

## 01회

▶ 어휘력 테스트 2쪽

| | | | |
|---|---|---|---|
| 1 ㉡ | 2 ㉠ | 3 ㉢ | 4 관찰 |
| 5 단계 | 6 자세하다 | 7 조사 | 8 속성 |
| 9 목표물 | 10 과정 | 11 ㉠ | 12 ㉡ |

**3** '수단이나 방법은 어찌 되었든 간에 목적만 이루면 됨.'이라는 뜻을 가진 속담은 '모로 가도 서울만 가면 된다'입니다. 어떤 방법으로 올라가든 산 정상에 도착하겠다는 목적을 이루겠다는 뜻입니다.

**7** '조사'는 '사물의 내용을 명확히 알기 위하여 자세히 살펴보거나 찾아봄.'을 뜻하는 말입니다. 따라서 "사건 '조사'가 필요하다.", "'조사' 결과를 기록하였다."와 같이 빈칸에 공통으로 들어갈 알맞은 낱말은 '조사'입니다.

**8** '속성'은 '사물의 특징이나 성질.'을 뜻하는 말입니다. 장미에 가시가 있는 것과 물이 투명한 것은 특징이므로, 빈칸에 공통으로 들어갈 알맞은 낱말은 '속성'입니다.

## 02회

▶ 어휘력 테스트 3쪽

| | | | |
|---|---|---|---|
| 1 강조 | 2 공표 | 3 견해 | 4 생각해 |
| 5 둘 | 6 존중 | 7 회의 | 8 공표 |
| 9 존중 | 10 견해 | 11 발표 | 12 생각 |

**4** '속으로는 그렇지 않으면서, 겉으로만 생각해 주는 척함.'이라는 뜻을 가진 속담은 '고양이 쥐 생각'입니다. 쥐를 잡는 고양이가 쥐를 생각할 리는 없으므로 겉으로만 생각해 주는 척한다는 것을 표현할 때 자주 사용하는 속담입니다.

**9** '존중'은 '높이어 매우 소중하게 여김.'을 뜻하는 말입니다. 따라서 '숭상'의 뜻이 비슷한 낱말로 알맞습니다.

**12** '생각'은 '헤아리고 판단하고 알게 되는 것 등의 작용.'을 뜻하는 말입니다. 따라서 "동생이 받고 싶어 하는 생일 선물이 무엇일지 '생각'을 하였다."가 알맞습니다.

## 03회

▶ 어휘력 테스트 4쪽

| | | | |
|---|---|---|---|
| 1 방법 | 2 의논 | 3 계획 | 4 기준 |
| 5 마음속 | 6 선택 | 7 상의 | 8 수단 |
| 9 구상 | 10 ㉠ | 11 ㉡ | 12 ㉡ |

**7** '상의'는 '어떤 일을 서로 의논함.'을 뜻하는 말입니다. 따라서 '어떤 일에 대하여 서로 의견을 주고받음.'을 뜻하는 '의논'과 바꾸어 쓸 수 있는 낱말은 '상의'입니다.

**9** '구상'은 '앞으로 이루려는 일에 대하여 전체적인 내용, 과정 등을 이리저리 생각함.'을 뜻하는 말입니다. 따라서 '앞으로 할 일의 절차, 방법 등을 미리 헤아려 작성함. 또는 그 내용.'을 뜻하는 '계획'과 바꾸어 쓰기에 알맞은 낱말은 '구상'입니다.

**12** '앞으로 닥쳐올 날의 목표를 마음에 품고 결심하다.'라는 뜻풀이를 가진 관용어는 '뜻을 세우다'입니다. 앞으로 목표를 이루겠다는 뜻을 마음에 품고 결심하는 것을 뜻합니다.

## 04회

▶ 어휘력 테스트 5쪽

| | | | |
|---|---|---|---|
| 1 ㉡ | 2 ㉠ | 3 ㉢ | 4 당도 |
| 5 이탈 | 6 통과 | 7 도착 | 8 참가 |
| 9 결승 | 10 탈락 | 11 ㉡ | 12 ㉠ |

**3** '쉬운 일이라도 힘을 합하여 하면 훨씬 쉬움.'이라는 뜻을 가진 속담은 '백지장도 맞들면 낫다'입니다. 대청소는 반 친구들과 함께 힘을 합하면 쉽게 할 수 있습니다.

**7** '도착'은 '목적한 곳에 이르러 닿음.'을 뜻하는 말입니다. 제주도에 이르러 닿은 것이고, 정류장에 이르러 닿은 버스를 탔다는 것이므로 '도착'이 빈칸에 공통으로 들어갈 낱말로 알맞습니다.

**10** '통과'는 '해당 기준이나 조건에 맞아 인정되거나 합격함.'이라는 뜻을 가진 말입니다. 따라서 이와 반대되는 말은 '어떤 데에 끼지 못하고 떨어지거나 빠짐.'이라는 뜻을 가진 '탈락'입니다.

## 05회

▶ 어휘력 테스트 6쪽

| | | | |
|---|---|---|---|
| 1 가랑비 | 2 기온 | 3 일기 | 4 반복되면 |
| 5 맑고 | 6 음산하다 | 7 날씨 | 8 기온 |
| 9 냉랭하다 | 10 눈부시다 | 11 쌀쌀한 | 12 황홀한 |

**4** '아무리 작은 것이라도 그것이 반복되면 무시하지 못할 정도로 크게 됨.'이라는 뜻의 속담은 '가랑비에 옷 젖는 줄 모른다'입니다. 적은 양의 비라도 계속 맞으면 옷이 젖게 된다는 뜻입니다.

**10** '눈부시다'는 '빛이 아주 아름답고 강하여 바로 보기 어렵다.'를 뜻하는 말입니다. 따라서 '눈부시다'는 '눈이 부시어 어릿어릿할 정도로 화려하다.'라는 뜻의 '황홀하다'와 뜻이 비슷한 낱말입니다.

**11** '쌀쌀하다'는 '춥게 느껴질 정도로 차다.'를 뜻하는 말입니다. 따라서 기침과 콧물이 나올 만한 날씨는 '쌀쌀한' 날씨가 알맞습니다. '쓸쓸하다'는 '외롭고 적적하다.', '씁쓸하다'는 '조금 쓰다.'와 '달갑지 아니하여 조금 싫거나 언짢다.'라는 뜻입니다.

## 06회

▶ 어휘력 테스트 7쪽

| | | | |
|---|---|---|---|
| 1 가볍다 | 2 쉬다 | 3 외출 | 4 걸어서 |
| 5 사물 | 6 목적지 | 7 보행하려면 | 8 출타 |
| 9 목적지 | 10 ㉡ | 11 ㉡ | 12 ㉠ |

**7** '보행하다'는 '걸어 다니다.'를 뜻하는 말입니다. 따라서 '걸어가려면'과 바꾸어 쓸 수 있는 낱말은 '보행하려면'이 알맞습니다.

**9** '행선지'는 '떠나가는 목적지.'를 뜻하는 말입니다. 따라서 '목적으로 삼는 곳.'을 뜻하는 말인 '목적지'로 바꾸어 쓰기에 알맞습니다.

**12** '뜻하지 아니한 기회를 만나 자기가 하려고 하던 일을 이룸.'이라는 뜻풀이를 가진 속담은 '넘어진 김에 쉬어 간다'입니다. '하늘이 무너져도 솟아날 구멍이 있다'는 '아무리 어려운 경우에 처하더라도 살아 나갈 방도가 생김.'을 뜻하는 속담입니다.

## 07회

▶ 어휘력 테스트 8쪽

| | | | |
|---|---|---|---|
| 1 ㉢ | 2 ㉠ | 3 ㉡ | 4 균형 |
| 5 활동 | 6 허약 | 7 작정 | 8 달리기 |
| 9 동화 | 10 평형 | 11 ㉡ | 12 ㉠ |

**3** '기운차고 한창 좋을 때 더 힘을 가함.'이라는 뜻을 가진 속담은 '달리는 말에 채찍질'입니다. 따라서 계속 하고 있던 운동의 운동량을 늘려 더 많이 하겠다는 뜻입니다.

**7** '작정'은 '일을 어떻게 하기로 결정함.'을 뜻하는 말입니다. 따라서 "요리를 할 '작정'이다.", "공부할 '작정'으로 도서관에 갔다."와 같이 빈칸에는 '작정'이 들어가는 것이 알맞습니다.

**10** '균형'은 '한쪽으로 기울거나 치우치지 않고 고른 상태.'를 뜻하는 말로, '사물이나 생각 등이 한쪽으로 기울지 않고 똑바로 있는 상태.'를 뜻하는 말인 '평형'과 바꾸어 쓰기에 알맞습니다.

## 08회

▶ 어휘력 테스트 9쪽

| | | | |
|---|---|---|---|
| 1 독창 | 2 박자 | 3 즐기다 | 4 마음 |
| 5 움직임 | 6 합창 | 7 선율 | 8 박자 |
| 9 선율 | 10 무용 | 11 감정 | 12 춤 |

**6** '여러 사람이 목소리를 맞추어서 노래를 부름.'을 뜻하는 말은 '합창'입니다. 따라서 "'합창' 대회를 위해 노래 연습을 하였다."와 같이 빈칸에는 '합창'이 들어가는 것이 알맞습니다.

**8** '박자'는 '음의 길고 짧음이나 강약 등이 반복될 때의 그 규칙적인 음의 흐름.'을 뜻하는 '리듬'과 뜻이 비슷한 낱말로 알맞습니다.

**11** 눈물이 많은 것은 '어떤 것에 대하여 일어나는 마음이나 느끼는 기분.'을 뜻하는 '감정'이 풍부하기 때문입니다. '감량'은 '수량이나 무게를 줄임.', '감점'은 '점수가 깎임. 또는 그 점수.'라는 뜻으로 빈칸에 들어갈 알맞은 낱말은 '감정'입니다.

# 어휘력 테스트 정답과 해설

## 09회

▶ 어휘력 테스트 10쪽

| | | | |
|---|---|---|---|
| 1 현명 | 2 책 | 3 발간 | 4 마음 |
| 5 뜻 | 6 사건 | 7 독서한 | 8 감상 |
| 9 출판 | 10 ㉡ | 11 ㉡ | 12 ㉡ |

**7** '읽다'는 '글을 보고 거기에 담긴 뜻을 헤아려 알다.'를 뜻하는 말입니다. 따라서 '책을 읽다.'라는 뜻을 가진 말인 '독서하다'와 바꾸어 쓰기에 알맞습니다. '독립하다'는 '다른 것에 의존하지 않거나 남의 지배나 지휘 아래 매이지 않는 상태로 되다.'의 뜻입니다.

**9** '발간'은 '책이나 신문, 잡지 등을 만들어 냄.'을 뜻하는 말입니다. '출판'은 '책이나 그림 등을 인쇄하여 세상에 내놓음.'이라는 뜻이므로 '발간'과 바꾸어 쓰기에 알맞습니다.

**12** '현실과 부딪치지 않고 책임감 없이 한 자리만 맴돌거나 글자만 보다.'라는 뜻을 가진 관용어는 '책상머리나 지키다'입니다. 책상에만 앉아 있으면 현실과 부딪혀 행동하기 어렵다는 뜻입니다.

## 11회

▶ 어휘력 테스트 12쪽

| | | | |
|---|---|---|---|
| 1 중추절 | 2 풍습 | 3 홍동백서 | 4 부모님 |
| 5 핏줄 | 6 객지 | 7 명절 | 8 귀성 |
| 9 친척 | 10 중추절 | 11 친척 | 12 관습 |

**6** '자신의 집을 떠나 임시로 있는 곳.'을 뜻하는 말은 '객지'입니다. 삼촌이 집을 떠난 곳에서 혼자 일을 하고 계신다는 뜻입니다.

**9** '인척'은 '남자와 여자가 부부가 되어 맺어진 친척.'을 뜻하는 말입니다. 따라서 '같은 핏줄로 관계가 있는 일정한 범위의 사람들.'을 뜻하는 '친척'은 '인척'과 뜻이 비슷한 낱말입니다.

**12** '관습'은 '한 사회에서 오랫동안 굳어진 질서나 풍습'을 뜻하는 말입니다. 따라서 "인도라는 나라에는 오른손으로만 식사를 하는 '관습'이 있다."가 알맞습니다. '관념'은 '어떤 일에 대한 견해나 생각.'을 뜻하고, '관중'은 '운동 경기 등을 구경하기 위하여 모인 사람들.'을 뜻하는 말입니다.

## 10회

▶ 어휘력 테스트 11쪽

| | | | |
|---|---|---|---|
| 1 ㉠ | 2 ㉢ | 3 ㉡ | 4 민족 |
| 5 언어 | 6 틀리다 | 7 다르다 | 8 글자 |
| 9 문물 | 10 동족 | 11 ㉡ | 12 ㉠ |

**3** '아무도 안 듣는 곳에서도 말조심해야 함.'이라는 뜻을 가진 속담은 '낮말은 새가 듣고 밤말은 쥐가 듣는다'입니다.

**8** '글자'는 '말을 일정한 체계로 적는 것으로 한글, 한자, 숫자 등을 이름.'을 뜻하는 말입니다. 따라서 "동생이 '글자'를 배운다."와 "'글자'를 예쁘게 쓰고 싶다."와 같이 빈칸에 공통으로 들어갈 알맞은 말은 '글자'입니다.

**12** '공통점'은 '둘 또는 그 이상 사이에 두루 같거나 통하는 점.'을 뜻합니다. 따라서 쌍둥이인 동생이 나와 성격과 외모가 두루 같다는 것은 '공통점'이 있다는 것입니다.

## 12회

▶ 어휘력 테스트 13쪽

| | | | |
|---|---|---|---|
| 1 과식 | 2 음식 | 3 마시다 | 4 시간 |
| 5 재료 | 6 배 | 7 포식 | 8 식사 |
| 9 배고파서 | 10 ㉡ | 11 ㉠ | 12 ㉡ |

**7** '과식'은 '지나치게 많이 먹음.'을 뜻하는 말입니다. '배부르게 먹음.'을 뜻하는 말인 '포식'과 바꾸어 쓸 수 있는 낱말로 알맞습니다.

**9** '허기지다'는 '몹시 배가 고파 몸의 기운이 빠지다.'를 뜻하는 말입니다. '배 속이 비어서 음식이 먹고 싶다.'를 뜻하는 말인 '배고프다'와 바꾸어 쓸 수 있는 낱말로 알맞습니다.

**12** '맹물도 입에 대지 못하고 완전히 굶다.'라는 뜻을 가진 관용어는 '음식 구경을 못 하다'입니다. 관용어 '눈이 번쩍 뜨이다'는 '정신이 갑자기 들다.'라는 뜻으로, '동생은 좋아하는 케이크를 보자 눈이 번쩍 뜨였다.'와 같이 쓸 수 있습니다.

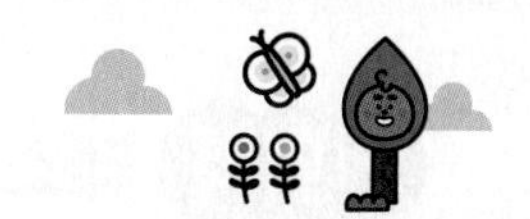

## 13회

▶ 어휘력 테스트 14쪽

| | | | |
|---|---|---|---|
| 1 ㉢ | 2 ㉡ | 3 ㉠ | 4 가족 |
| 5 소중하다 | 6 화목 | 7 존경 | 8 식구 |
| 9 닮다 | 10 귀중하다 | 11 ㉡ | 12 ㉠ |

**7** '존경'은 '우러러 공손히 받들어 모심.'을 뜻하는 말입니다. 따라서 "위인은 '존경'을 받았다."와 "나는 부모님을 '존경'한다."로, 빈칸에 공통으로 들어갈 알맞은 말은 '존경'입니다.

**9** '유사하다'는 '서로 비슷하다.'를 뜻하는 말입니다. 따라서 '서로 비슷한 생김새나 성질을 지니다.'를 뜻하는 말인 '닮다'는 '유사하다'와 바꾸어 쓸 수 있는 낱말로 알맞습니다.

**12** '집안이 화목하면 모든 일이 잘 이루어짐.'이라는 뜻을 가진 한자 성어는 '가화만사성'입니다. 가족이 모두 화목하다면 집안 걱정 없이 다른 일에 집중할 수 있어 모두 잘 될 것이라는 뜻입니다.

## 14회

▶ 어휘력 테스트 15쪽

| | | | |
|---|---|---|---|
| 1 냉방 | 2 엄동설한 | 3 영하 | 4 고체 |
| 5 이상 | 6 한겨울 | 7 난방 | 8 동면 |
| 9 얼다 | 10 한기 | 11 영상 | 12 한겨울 |

**7** '실내의 온도를 높여 따뜻하게 하는 일.'을 뜻하는 말은 '난방'입니다. 겨울이 되어 날씨가 추워지면 난방을 하여 실내 온도를 높여야 합니다.

**8** '동면'은 '동물이 겨울 동안 활동을 멈추고 땅속 깊이 들어간 상태로 있음.'을 뜻하는 말입니다. 따라서 '겨울에 동물이 활동을 멈추고 땅속 등에서 겨울을 보내는 일.'의 뜻을 가진 '겨울잠'은 '동면'과 뜻이 비슷한 낱말입니다.

**11** '영상'은 '섭씨 0도 이상의 기온을 이르는 말.'이라는 뜻입니다. 새싹이 돋아나려면 날씨가 따뜻해져야 하므로 기온이 영상으로 올라야 합니다. '영도'는 '온도, 각도 등의 도수를 세는 기본이 되는 점인 자리.'를 뜻하고, '영혼'은 '죽은 사람의 넋.'을 뜻하는 말입니다.

## 15회

▶ 어휘력 테스트 16쪽

| | | | |
|---|---|---|---|
| 1 진화 | 2 안전하다 | 3 알리다 | 4 습기 |
| 5 재난 | 6 실수 | 7 소방 | 8 신고하였다 |
| 9 주의 | 10 ㉠ | 11 ㉡ | 12 ㉡ |

**7** '진화'는 '불이 난 것을 끔.'을 뜻하는 말입니다. '불로 인한 재난을 막고 불이 났을 때 불을 끔.'을 뜻하는 말인 '소방'은 '진화'와 바꾸어 쓸 수 있는 낱말입니다.

**9** '조심'은 '잘못이나 실수가 없도록 말이나 행동에 마음을 씀.'을 뜻하는 말입니다. '마음에 새겨 두고 조심함.'을 뜻하는 말인 '주의'는 '조심'과 바꾸어 쓸 수 있는 낱말로 알맞습니다.

**12** '앞으로 일어날 일이 확실히 알 수 있게 아주 명백하다.'라는 뜻을 가진 관용어는 '불을 보듯 뻔하다'입니다. '눈에 불을 켜다'는 '몹시 욕심을 내거나 관심을 기울이다.', '화가 나서 눈을 부릅뜨다.'라는 뜻을 가진 관용어입니다.

## 16회

▶ 어휘력 테스트 17쪽

| | | | |
|---|---|---|---|
| 1 ㉡ | 2 ㉠ | 3 ㉢ | 4 불안하다 |
| 5 외롭다 | 6 우울하다 | 7 미웠다 | 8 쾌활하게 |
| 9 샘냈다 | 10 실망 | 11 ㉡ | 12 ㉠ |

**3** '미운 아이 떡 하나 더 준다'는 '미운 사람일수록 잘해 주고 나쁜 마음이 쌓이지 않도록 해야 함.'을 뜻하는 속담입니다.

**7** '밉다'는 '모양, 생김새, 하는 행동 등이 마음에 들지 않고 싫다.'를 뜻하는 말입니다. 따라서 "장난친 친구가 '미웠다'."와 "나를 놀린 동생이 '미웠다'."와 같이 빈칸에 공통으로 '미웠다'가 들어가는 것이 알맞습니다.

**9** '샘내다'는 '자신보다 나은 사람을 미워하는 마음을 먹다.'를 뜻하는 말입니다. 따라서 '남이 잘되는 것을 욕심내고 미워하다.'를 뜻하는 말인 '시기하다'와 바꾸어 쓸 수 있는 낱말로 '샘내다'가 알맞습니다.

# 어휘력 테스트 정답과 해설

## 17회

▶ 어휘력 테스트 18쪽

| | | | |
|---|---|---|---|
| 1 걱정 | 2 부패하다 | 3 잃다 | 4 한도 |
| 5 어이 | 6 심해서 | 7 안도 | 8 배출하다 |
| 9 부패하다 | 10 오물 | 11 내보냈다 | 12 잃어 |

**8** '배출하다'는 '안에서 밖으로 밀어 내보내다.'를 뜻하는 말입니다. 따라서 '안에서 밖으로 나가게 하다.'를 뜻하는 말인 '내보내다'와 뜻이 비슷한 낱말은 '배출하다'입니다.

**9** '부패하다'는 '물질이 변하여 나쁜 냄새가 나거나 독이 있는 물질이 생기다.'를 뜻합니다. '균의 작용으로 성질이 변하여 나쁜 냄새가 나고 형체가 뭉개지다.'를 뜻하는 '썩다'의 뜻이 비슷한 낱말로 알맞습니다.

**12** '잃다'는 '더 이상 차지하거나 누리지 못하는 상태가 되다.'라는 뜻입니다. 따라서 "'잃어' 버린 줄 알았던 친구의 책을 다행히도 찾았다."와 같이 빈칸에는 '잃어'가 들어가는 것이 알맞습니다.

## 18회

▶ 어휘력 테스트 19쪽

| | | | |
|---|---|---|---|
| 1 담당하다 | 2 깨끗하다 | 3 먼지 | 4 책임 |
| 5 질서 | 6 살림 | 7 정돈 | 8 적발 |
| 9 가사 | 10 ㉡ | 11 ㉡ | 12 ㉠ |

**8** '발견'은 '미처 보지 못했거나 알려지지 않은 것들을 찾아냄.'을 뜻하는 말입니다. '숨겨져 있는 일이나 드러나지 아니한 것을 겉으로 드러나게 함.'의 뜻을 가진 '적발'이 '발견'과 바꾸어 쓰기에 알맞습니다.

**9** '집안일'은 '살림을 꾸려 나가며 해야 하는 여러 가지 일.'을 뜻하는 말로, 바꾸어 쓸 수 있는 낱말은 '살림을 꾸려 나가는 일.'을 뜻하는 '가사'입니다.

**12** '아무리 깨끗하고 착한 사람이라 하더라도 숨겨진 빈틈은 있음.'이라는 뜻을 가진 속담은 '주머니 털어 먼지 안 나오는 사람 없다'입니다. '바다는 메워도 사람의 욕심은 못 채운다'는 '사람의 욕심이 끝이 없음.'을 뜻하는 속담입니다.

## 19회

▶ 어휘력 테스트 20쪽

| | | | |
|---|---|---|---|
| 1 ㉢ | 2 ㉡ | 3 ㉠ | 4 거짓말 |
| 5 반복 | 6 정직하다 | 7 상황 | 8 되풀이 |
| 9 정직하게 | 10 당면하게 | 11 ㉡ | 12 ㉠ |

**3** '거짓말을 자주 하다.'를 뜻하는 관용어는 '거짓말을 밥 먹듯 하다'입니다. 따라서 동생이 거짓말을 자주 해서 부모님께 혼이 났다는 뜻입니다.

**10** '당면하다'는 '바로 눈앞에 당하다.'를 뜻하는 말입니다. 따라서 '어떤 처지에 놓이다.'를 뜻하는 말인 '처하다'는 '당면하다'와 바꾸어 쓸 수 있는 낱말로 알맞습니다.

**12** '솔직하다'는 '거짓이나 숨김이 없고 바르다.'를 뜻하는 말입니다. 친구들이 '거짓이나 숨김이 없고 바르다.'는 것은 '솔직하다'라는 뜻입니다. 따라서 "나는 '솔직한' 친구들이 참 좋다."와 같이 바꾸어 쓸 수 있습니다.

## 20회

▶ 어휘력 테스트 21쪽

| | | | |
|---|---|---|---|
| 1 어기다 | 2 지키다 | 3 혼동 | 4 없어져 |
| 5 약속 | 6 위반하지 | 7 확실하지 | 8 확실하다 |
| 9 지키다 | 10 혼동 | 11 약속 | 12 착각 |

**6** '위반하다'는 '약속, 법률 등을 지키지 않고 어기다.'를 뜻하는 말입니다. 학교 규칙을 위반하는 것은 옳지 않은 행동입니다.

**8** '확실하다'는 '조금도 어긋나는 일이 없이 그러하다.'를 뜻하는 말입니다. 따라서 '어떤 사실이 틀림이 없이 확실하다.'를 뜻하는 말인 '분명하다'와 뜻이 비슷한 낱말로 알맞습니다.

**12** '착각'은 '어떤 것을 실제와 다르게 지각하거나 생각함.'을 뜻하는 말입니다. 따라서 "친구의 전화번호를 '착각'해 전화를 잘못 걸었다."와 같이 빈칸에는 '착각'이 들어가는 것이 알맞습니다. '착공'은 '공사를 시작함.'이라는 뜻을 가진 말입니다.

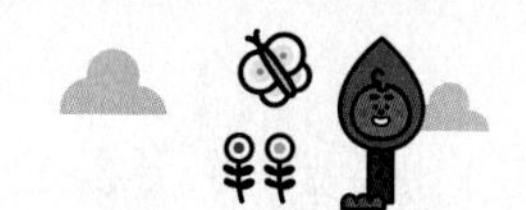

## 21회

▶ 어휘력 테스트 22쪽

| | | | |
|---|---|---|---|
| 1 광경 | 2 상상 | 3 기억 | 4 장소 |
| 5 생각하다 | 6 분간 | 7 장면 | 8 희미하게 |
| 9 소장 | 10 ㉡ | 11 ㉡ | 12 ㉡ |

**7** '광경'은 '벌어진 일의 형편과 모양.'을 뜻하는 말입니다. '어떤 장소에서 겉으로 드러난 면이나 벌어진 광경.'을 뜻하는 '장면'은 '광경'과 바꾸어 쓰기에 알맞습니다.

**8** '아련하다'는 '똑똑히 분간하기 힘들게 흐릿하다.'를 뜻하는 말입니다. 따라서 '아련하다'는 '분명하지 못하고 어렴풋하다.'를 뜻하는 '희미하다'로 바꾸어 쓸 수 있습니다.

**12** '머리에 기억되었던 것이 잊히다.'라는 뜻을 가진 관용어는 '기억에서 사라지다'입니다. 관용어 '마음을 붙이다'는 '어떤 것에 마음을 자리 잡게 하거나 전념하다.'라는 뜻입니다.

## 22회

▶ 어휘력 테스트 23쪽

| | | | |
|---|---|---|---|
| 1 ㉡ | 2 ㉢ | 3 ㉠ | 4 고장 |
| 5 새롭다 | 6 옮기다 | 7 시작 | 8 환영 |
| 9 참신하였다 | 10 반추하였다 | 11 ㉡ | 12 ㉠ |

**8** '환영'은 '오는 사람을 기쁜 마음으로 반갑게 맞음.'을 뜻하는 말입니다. 따라서 "'환영' 행사를 크게 열었다.", "집에 오신 손님을 '환영'하였다."와 같이 빈칸에 공통으로 들어갈 알맞은 말은 '환영'입니다.

**10** '반추하다'는 '어떤 일을 되풀이하여 음미하거나 생각하다.'를 뜻하는 말입니다. '지나온 과정을 다시 돌아보다.'라는 뜻을 가진 말인 '되돌아보다'는 '반추하다'와 바꾸어 쓰기에 알맞습니다. 따라서 "일기를 쓰며 오늘 한 일을 '되돌아보았다'."로 바꾸어 쓸 수 있습니다.

**12** '무슨 일이든지 일단 시작하면 일을 끝마치기는 어렵지 않음.'이라는 뜻을 가진 속담은 '시작이 반이다'입니다. 아무리 어려운 일이라도 그 일을 시작하는 것이 무엇보다 중요하다는 뜻입니다.

## 23회

▶ 어휘력 테스트 24쪽

| | | | |
|---|---|---|---|
| 1 결례 | 2 사죄 | 3 충돌하다 | 4 겸손 |
| 5 친구 | 6 우정 | 7 이해 | 8 사죄 |
| 9 결례 | 10 사양 | 11 다투었다 | 12 오해 |

**5** '지란지교'는 '친구 사이의 맑고도 훌륭하며 귀중한 사귐.'을 뜻하는 한자 성어입니다. 향기로운 풀인 지초와 난초같이 향기롭게 친구와 사귀는 사이라는 뜻입니다.

**7** '남의 사정을 잘 헤아려 너그러이 받아들임.'을 뜻하는 말은 '이해'입니다. 설명을 듣고 나면 어려운 문제를 이해할 수 있습니다.

**9** '결례'는 '예의범절에서 벗어나는 행동을 함. 또는 예의를 갖추지 못함.'이라는 뜻을 가진 낱말입니다. 따라서 '조심하지 아니하여 잘못함. 또는 그런 행위.'를 뜻하는 낱말인 '실수'와 뜻이 비슷한 낱말은 '결례'가 알맞습니다.

## 24회

▶ 어휘력 테스트 25쪽

| | | | |
|---|---|---|---|
| 1 장래 | 2 반드시 | 3 실패할 | 4 지나간 |
| 5 목적 | 6 마음 | 7 꿈꾸었다 | 8 필시 |
| 9 희망 | 10 ㉠ | 11 ㉡ | 12 ㉠ |

**1** '다가올 앞날.'을 뜻하는 말은 '장래'입니다. 선수가 금메달을 따는 일은 앞으로 일어날 수 있는 일이므로 '장래'가 알맞습니다.

**7** '염원하다'는 '마음에 간절히 생각하고 기대하며 바라다.'를 뜻하는 말입니다. '속으로 어떤 일이 이루어지기를 바라거나 이루려고 힘을 쓰다.'를 뜻하는 말인 '꿈꾸다'는 '염원하다'와 바꾸어 쓸 수 있습니다.

**12** '힘을 다하고 정성을 다하여 한 일은 그 결과가 반드시 헛되지 아니함.'이라는 뜻을 가진 속담은 '공든 탑이 무너지랴'입니다. 속담 '고생 끝에 낙이 온다'는 '어려운 일을 겪고 난 뒤에는 반드시 좋은 일이 생김.'이라는 뜻으로, 힘들지만 열심히 살아가는 사람들에게 힘과 용기를 줄 때 쓸 수 있습니다.

**실력 진단 평가 1**

01 ㉢ 02 ㉣ 03 ㉠ 04 ㉡ 05 일치 06 결심 07 선택 08 가벼워서 09 쉬어서 10 틀려서 11 ㉢ 12 ㉠ 13 ㉡ 14 ㉡ 15 ㉢

**실력 진단 평가 2**

01 ㉢ 02 ㉠ 03 ㉣ 04 ㉡ 05 성질 06 신문 7 사건 08 당도 09 통과 10 이탈 11 ㉢ 12 ㉠ 13 ㉡ 14 ㉠ 15 ㉠

## 이 책을 추천합니다.

▸▸ 평소에 아이가 책을 많이 접하고 자주 읽게 하려고 노력하는 편인데, 다양한 책을 읽다 보면 당연히 알고 있을 것이라고 생각했던 쉬운 어휘를 모르는 경우가 종종 있었습니다. 이 책에서는 한자어, 고유어, 다의어, 동음이의어 등 다양한 기초 낱말과 한자 성어, 속담, 관용어 같은 어려운 내용까지 함께 배울 수 있어서 좋았습니다.

– 이미정 (안산초등학교 3학년 학부모)

▸▸ 탄탄한 어휘력은 독해의 기본입니다. 길고 어려운 글을 독해할 때 우리는 어휘를 중심으로 맥락을 파악합니다. 그러나 탄탄한 어휘력을 쌓는 일은 단시간에 문제를 많이 푼다고 이루어지는 것이 아닙니다. 평소에 어휘가 문장 안에서 어떤 의미로 사용되고 있는지, 이를 대체할 낱말들에는 무엇이 있는지를 곰곰이 생각해 보는 연습이 필요합니다.

– 신주용 (서울대 자유전공학부 19학번)

**지은이** 꿈을담는틀 편집부 **펴낸곳** (주)꿈을담는틀
**펴낸이** 백종민 **등록번호** 제302-2005-00049호
**대표전화** 1544-6533 **팩스** 02-749-4151 **펴낸날** 2020년 6월 10일 초판 1쇄
**주소** 서울시 영등포구 당산로 50길 3 꿈을담는빌딩 **홈페이지** www.ggumtl.co.kr